脳が冴える15の習慣
記憶・集中・思考力を高める

築山 節
tsukiyama takashi

生活人新書
202

NHK出版

はじめに――良い習慣が脳を生まれ変わらせる

最近、何となく脳が冴えないと感じることがないでしょうか?

人から話しかけられたときなどにパッと反応できない。話を聞いても文章を読んでも内容が頭にスラスラと入ってこない。よく知っているはずのことが思い出せない。思考がすぐに途切れてしまう。良いアイデアが浮かばない。集中力が続かない。ぼんやりしているうちに時間が過ぎている。そのために、仕事や生活が上手くいかなくなっている……。

本書は、そういう状態を自分で改善させ、また、脳の使い方を改めることにより、記憶力や集中力、思考力、意欲などを高めるための手引書となることを目指しています。特殊なことを書くつもりはありません。これまでボケ症状の治療に取り組んできた経験から把握している脳の原則に基づいて、有効性が高いと言えることを書きます。

多くの現代人がいつの間にか脳の力を衰えさせているとき、欠けているのはたいていの場合、ごく基本的なことです。ただ、そのことに自分では気づかず、脳を働きにくくさせる方向に進んでしまっている。それを回復させるために大切なのは、気が向いたときに脳トレーニングを行うことよりも（それはもちろん良いことですが）、その「ごく基本的なこと」を生活に取り入れる、つまり、脳にとって良い習慣を身につけることです。

分かりやすい言葉で言えば、脳にとって良い習慣を身につけることは、木を育てることに似ています。豊かな葉を繁らせる木でも、環境と育て方が悪ければ葉が落ちる。それが脳で言えば、機能が衰えたり、上手く使えなくなったりするということです。そのとき、何か特殊な方法で一時的に回復させることができたとしても、長続きはしません。環境と育て方に原因があるわけですから、時間が経てばまた枯れていきます。

大切なのは、その原因を解消することです。脳で言えば、生活を改善する必要があります。だからといって、すべてを変える必要はありません。いくつかの有効な習慣を身につけるだけでいいのです。それを身につけたからと言って、すぐに劇的な効果が現れるとは限りませんが、その効果は一生続く。じわじわと脳の働きを高め、仕事ができる脳、若々しい脳を取り戻せていきます。そのための指針を示すのが本書の趣旨です。

その指針は分かりやすいものでなければいけないと私は考えています。そうでなければ、自律的に実行できないからです。また、仕事や生活の負担にならないことも重要でしょう。これは、私が外来で患者さんたちに指導をするとき暗黙の前提としていることでもありますが、本書でも、基本的に次の条件を満たす習慣を提案しています。

・時間的にも経済的にも負担にならない
・脳に良い影響を与えられるだけでなく、人生がより豊かになる

人生がより豊かになるというのは、仕事が捗《はかど》る、見識が広がる、人間関係が良好になるなどの要素を含んでいると考えて下さい。話が上手すぎるように聞こえるかも知れませんが、脳の使い方にはコツがあります。それを踏まえていないために、仕事で混乱したり、言いたいことを上手く伝えられなかったりしているケースも多いのです。そこを意識的に改めることで、人生が良く変わっていくことは十分にあり得ます。

また、脳をバランス良く成長させるには、活動を多面的にし、その中で出会ういろいろな人たちと交流することがとても大切です。つまり、人生を豊かにしようとしていることが、結果的に、脳を良い方向に向かわせることになるという面もあります。しかし、そのためには、まず脳の基本的な力を高めておく必要があるでしょう。本書では、その両面から「脳にとって良い習慣とは何か」を考え、提案するよう心がけました。

本書で提案している15の習慣をすべて身につけていただく必要はありません。「これは自分には関係ない」と思われる習慣があったら、とりあえず読み飛ばして下さい。ただし、最初から順番にお読みいただくと、脳の性質について、より深くご理解いただけるように書いています。また、自分がすでに習慣として行っていることにどんな意味があるのかということを知るだけでも、読んでいただく価値はあるでしょう。

先に概要を説明しておくと、本書は次のような構成になっています。

習慣1〜3　脳の活動を安定させ、また、集中力や頭の回転の速さを高めたりするための習慣です。特に、集中力が続かず、仕事を終えるのが遅くなりがちな人はここを読んで下さい。睡眠の意義についても触れています。

習慣4〜6

思考系の中枢である前頭葉を鍛えたり、その力が発揮されやすい環境を整えたりするための習慣です。特に、行動力や自分をコントロールする力が弱くなっている人は、有効なヒントが得られると思います。

習慣7〜8

情報を脳に入力する力と記憶力を高めるための習慣です。特に、人から話しかけられたときの反応が鈍くなっている人、よく物忘れを指摘される人は、ここを読んでいただくと気づくことがあると思います。

習慣9〜10

情報を出力する力、つまりコミュニケーション能力を高めるための習慣です。長い話をするのが苦手な人、相手に言いたいことを上手く伝えられないと感じることが多い人は、特にここを参考にして下さい。

習慣11～12　臓器としての脳を健康に保つための習慣です。特に、不摂生を続けている人、脳の画像検査を受ける機会がない人は注意して読んで下さい。

習慣13～15　やや応用的な話です。習慣13では脳を自己管理する方法について、習慣14ではひらめきを生み出しやすくする習慣について、習慣15では意欲を高めやすくする生き方について、それぞれ解説しています。

人が置かれている状況はさまざまですから、具体的すぎる習慣を提案しても、その通りには実行できない場合が多いと思います。そこで本書では、15の習慣は大きな考え方として示し、その中でまた、より具体的な習慣を提案していくスタイルを採りました。そこからさらにアレンジして、自分に合った習慣を考えていただくのもいいでしょう。大切なのは、納得して、自分の意志で、長く続けていただくことです。

本書を通じて、少しでも多くの人が、脳の働きを高められることを願っています。

脳が冴える15の習慣　記憶・集中・思考力を高める●目次

脳を活性化させる朝の過ごし方。足・手・口をよく動かそう

習慣1 生活の原点をつくる

「朝、ちゃんと起きてますか？」

脳の働きを維持するためには、基本的に、脳が変化に対応している状態が必要です。毎日同じ部屋にいて、同じような生活をし、会う人も限られている。そういう生活を続けていては、脳の若々しい状態を保つことはできません。

しかし、それ以前の問題として、なるべく変化させない方がいい要素もあります。それは生活のリズムです。

朝、ある程度一定の時間に起き、太陽の光を浴びる。脳がもっとも活発に活動する時間帯に仕事のピークを合わせ、夜はできるだけ早く寝る。そうやって生活のリズムを安定させると、脳の活動も安定してきます。それが誰にとっても、まず重要なことです。

たとえば、私の外来によくこういう患者さんがいらっしゃいます。

「最近、頭が上手く働かないんですが……」

「それは特にどんなときですか？」

「人と話しているときに実感することが多いです」

「どんな状態になりますか？」

「ふと頭の中が真っ白になってしまって、言葉が出てこなくなったりします」

「今はスムーズにお話しできてますよね？」

「調子が良いと感じる日もあります」

こういう風に、できるときとできないときがあるのを自覚している。また、こちらで話の組み立てを誘導してあげればスムーズに話すことができる。そういう患者さんの場合、脳機能が恒常的に低下しているわけではなく、ただ脳の活動状態が安定していないだけということがよくあります。

思考を組み立てる前頭葉が休みたがっているときに難しい話をしようとするので、長続きしない。話している最中に活動がすーっと落ちて、不意に何も考えられなくなってしまう。次の言葉が出てこなくなる。そういうときでも感情系の方は目覚めていて、まずい状況であることは分かるので、動揺する。その感情系の動きを抑えるための機能も脳にありますから、ますます考えることにエネルギーが割けなくなり、

「…………」

何も考えられない空白の時間ができてしまう。こういうときには相手の言っていることもパッと頭に入ってこないはずです。

何らかの事情で退職された方が、半年ほど自由度の高い生活を送り、再就職活動を始めたところ、面接の席であまりにも頭が働かず驚いた、というケースがよくあります。昔からそうだったわけではなく、以前はもっと頭がキビキビ働いていたはずだという自覚があるので、そのギャップに驚くわけです。

そういう患者さんに、

「ところで、朝何時に起きてますか?」

と質問すると、たいてい安定していません。

「日によって違いますけど、午前中には……」

といった答えが返ってきます。

もちろん、それが原因だと最初から決めつけるようなことは絶対にしません。画像検査や脳機能検査を受けていただいたり、その他の生活習慣について質問したり、情緒障害である可能性も含めて多角的に診察しますが、慎重に検討した結果、やはり生活リズムが安定していないことが最大の原因だと考えられるケースが多いのです。

そういう方には、「まず生活の原点をつくって下さい」とお願いしています。

脳の構造

●大脳を横から見た図

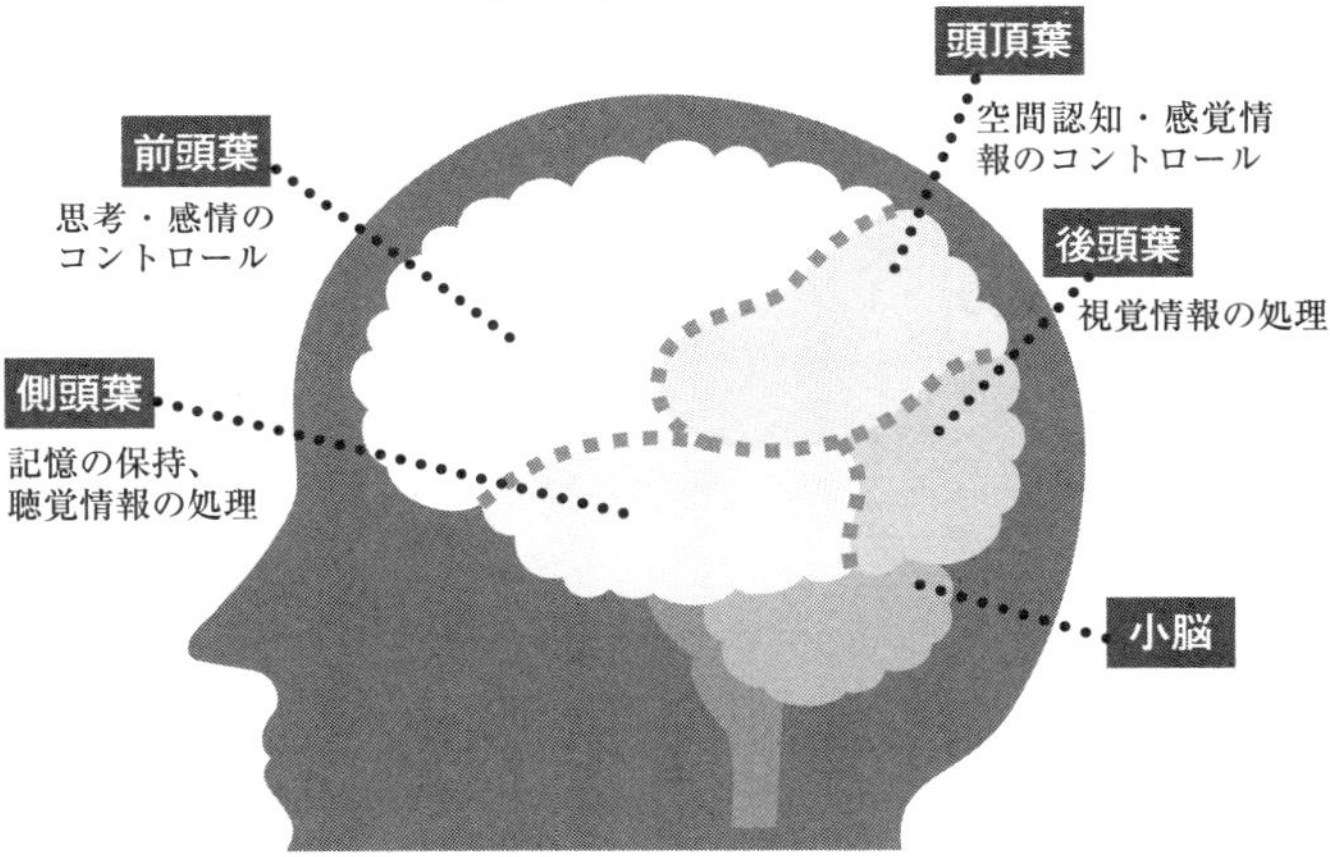

●大脳辺縁系

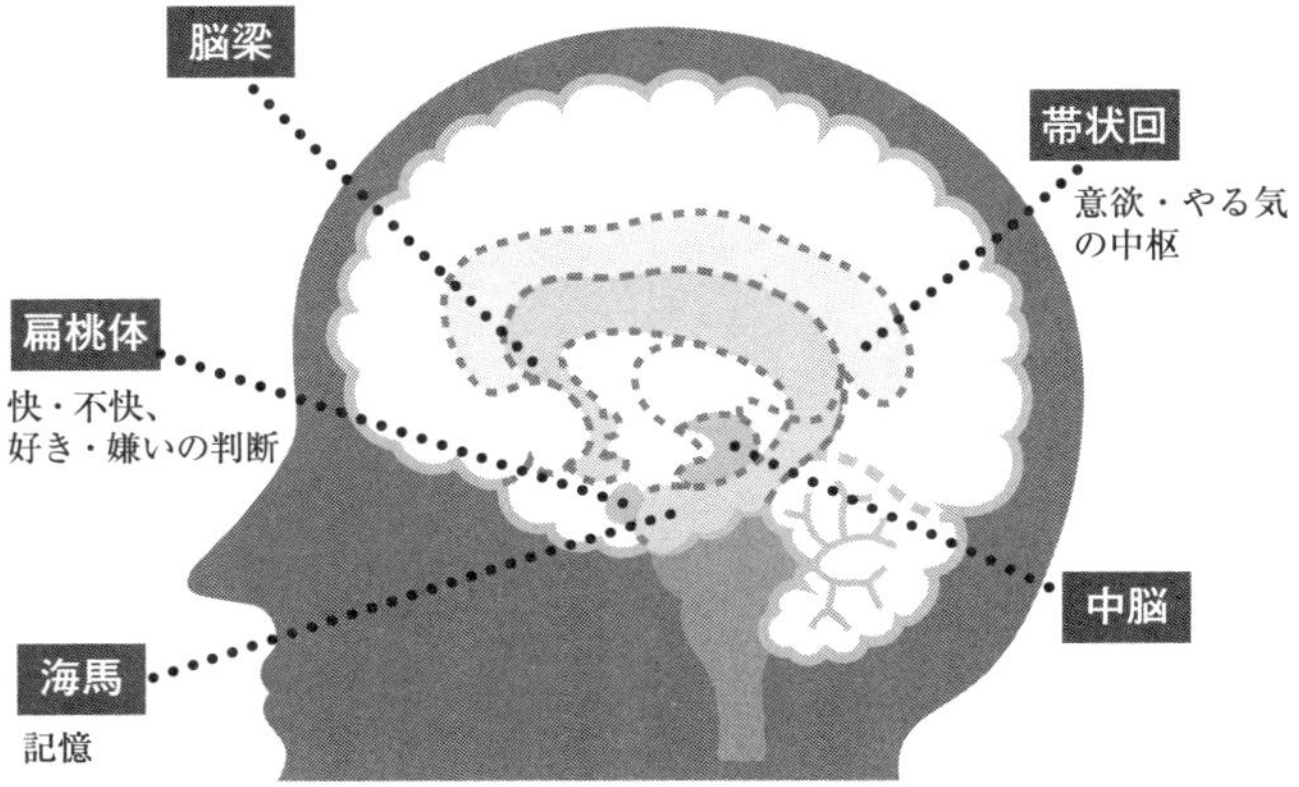

「人間の脳は機械じゃないですから、二四時間同じ性能を発揮できるわけではありません。生体としての脳が活発に働きたい時間、休みたい時間という周期を繰り返しているものなんです。その周期と生活のリズムをなるべく一致させる努力をして下さい。時差ボケってあるじゃないですか。あれは脳の活動リズムと生活のリズムがずれて、脳が休みたい時間に仕事をしようとして頭が働かなかったり、脳が活発に動きたい時間に休もうとして眠れなくなったりしている状態なんです。生活のリズムを不安定にすると、日本にいながらそれと同じことを起こしてしまう。それを治すには、生活の原点をつくる以外にありません。朝七時なら七時と決めて、なるべく同じ時間に起きて下さい。ボケ症状のように見える人が、それだけで治っていくことも珍しくないんです」

生活のリズムを失うことは「ボケの入り口」

時差ボケのような状態になっているために脳機能が安定しないというのは一時的な現象ですが、脳が働かない時間を長くすることは、必然的に脳の訓練の機会を減らします。

そうすると、今度はそれが原因となって脳機能が低下し、さらに人と話すことが苦手になったり、思考が長く続けられなくなったりする。脳はあることができなくなると、そのことを無意識的に避けようとするので、ますます訓練の機会が失われる。さらに脳機能が低下する……。そういう悪循環を続けた結果、最初は時差ボケ的な症状であったものが、本当に治りにくいボケ症状になっていくケースも十分に考えられます。

大事なことなので、あえて強い言い方をしますが、生活のリズムを失うことは「ボケの入り口」と言っても過言ではないかも知れません。

怠け者である脳をどう動かすか

不安定な生活が板についてしまっている患者さんの場合、私の外来では、週に何度か、教育的な目的で、朝早い時間に病院に来ていただくようにしています。「何時に起きて下さい」とお伝えするだけでは、ほとんどの場合、実行できないからです。

人間はどこかで、会社なり学校なり、自分以外の誰かに動かされている環境を持っていなければいけません。何も強制されていない環境に置かれると、人間はいつの間にか、脳のより原始的な機能である感情系の要求に従って動くようになってしまいます。その結果、生活リズムを失い、面倒なことを避けるようになり、感情系の快ばかり求める生活になる。脳は基本的に怠け者であり、楽をしたがるようにできています。

この点に関しては「その気になれば大丈夫」と考えてはいけません。これは私が専門医として確信している、脳の基本的な性質です。特に会社や学校に属していない方は、生活の原点をつくる以前に、どこかに通う習慣を持った方がいいと思います。

脳にもウォーミングアップが必要

生活の原点をつくることの次に大事なのは、脳のウォーミングアップをすることです。朝一定の時間に起き、太陽の光を浴びれば、ともかく脳は活動モードに切り替わります（人間も生物の一種であり、太陽の光を体内時計を整える一つの手がかりにしています）。しかし、それだけでは、まだ十分に脳を目覚めさせたとは言えません。受験のときなどに「脳は活発に動き始めるまでに二時間はかかるから、試験の二時間前には起きていなければいけない」という話を聞いたことがあると思いますが、その起きてからの二時間、寝ているのと同じような生活をしていても、二時間後には脳がばっちり目覚める、というわけではありません。体と同じように、脳にも準備体操が必要です。

スポーツの準備体操をするとき、いきなりシュート練習や高度な連係プレイから始める人は珍しいと思いますが、脳も同じで、ウォーミングアップはできるだけ大ざっぱなことから始める方がいいです。単純な計算や新聞のコラムの書き写しといったことでも悪くはありませんが、足・手・口を意識して動かす方がより効果的でしょう。

脳は思考系だけではない

足・手・口を動かすというのは、大まかな括りで言えば、脳の運動系と呼ばれる機能を使うことです。

活性化させたいのは思考系なのに、なぜ運動系の機能を使うのかと思われるかも知れませんが、その理由は、次のように考えると納得されやすいでしょう。

私はここに、多くの現代人が脳に関してもっとも誤解している点があるような気がしますが、人間の脳は、思考系がそれだけで存在しているわけではありません。人間に至る生物の進化の過程や、赤ちゃんが人間らしい高度な思考力を獲得していく過程を考えてみても分かる通り、思考系以前に感情系や運動系などの機能があります。

人間はしっかりと二足歩行ができるようになり、手を自由に操れるようになり、口を使って言葉を話すことができるようになって、初めて高度な思考力を発達させることができたわけです。その前段階の機能を十分に動かしておくことが、じつは、その日の思考系を活性化させるのにも有効な手段になります。

出社ギリギリの時間に起き、一〇分も歩かずに電車に乗って会社に向かい、パソコンに向かって仕事をするという人は、少し早めに起きて、次のうちどれか二つを実行してみて下さい。特に午前中、脳の働きやすさがまるで違って感じられるはずです。

・散歩などの軽い運動
・部屋の片付け
・料理
・ガーデニング
・挨拶＋一言
・音読（できれば一〇分以上）

血液を脳に巡らせる

運動系の機能を使うのが思考系の活性化のためにも有効なのは、次のように考えてみても分かりやすいかも知れません。

足や手や口を動かす運動系の機能は、脳の表面中央付近に分布しています。その脳領域を十分に働かせるということは、そこに至る脳の血流を良くすることとイコールです。特に足を動かすための機能は、頭頂部に近いところにある脳領域が担っているので、よく歩いているうちに、血液が脳の高いところまで汲み上げられます。歩くというのは、足を中心とする全身運動ですから、脳全体に血液が巡りやすくなる。散歩をした後に脳が働きやすいのは、そういう理屈からも説明することができます。

私の朝の過ごし方

私の生活習慣を例に挙げて言えば、私は毎朝五時半に起床します。病院に着いて仕事を始めるのが八時半です。その三時間を脳のウォーミングアップの時間と考えています。起きたらまず窓を開けて、太陽の光を浴びる。それから着替え、階段を昇り降りして、子どもたちを起こしていく。このときに声も使います。

次は部屋の片付けです。パッと状況を判断して、気になったところを片付けていく。これは手の運動であると同時に、前頭葉が司る選択・判断の機能を大まかに使う活動でもあるので、脳の準備体操に最適だと考えられます。

部屋を片付けたら、犬を散歩に連れていく。脳全体に血液を行き渡らせることを意識しながら、一時間ほど歩きます。途中ですれ違う人に、「先生とはいつも同じ時間に同じ場所で会いますね」とよく言われますが、朝のウォーミングアップはそれでいいのです。脳を変化に対応させるより、ベーシックなところから確実に動かしていくことに意味があります。

それでも、たまには散歩のコースを変えてみます。家から外に出ただけでも、脳は安全を確保するために周囲の情報を広く集めようとして、より活発に動き始めますが、いつもと違う道を歩くと、それだけ余計に思考系を使うことになりますし、目をよく動かすことにもなる。手足を動かすことの中に自動的に含まれるので改めては書きませんでしたが、脳機能を早く活性化させるには、目をよく動かすことも大切です。

「挨拶十一言」で脳が目覚める

家族と朝ごはんを食べた後、勤務先である第三北品川病院か北品川クリニックへ。病院に着くと、医療スタッフや事務のスタッフから声をかけられます。

「先生、おはようございます」

昨今、挨拶の重要性が忘れられていますが、朝のうちに声を出しておくのは、脳にとってとても良いことです。私の場合、このときたいてい一言二言付け加えます。

「おはよう。昨日おっしゃっていたあの問題、どうなりました?」

「昨日のレアル・マドリッドの試合、ベッカムすごかったですね」

そうすることで、ただ口を動かすだけでなく、前頭葉を使って大まかに言葉を組み立てる、耳を使って情報を取るという活動も、朝のウォーミングアップの中に入ってきます。

そうして朝八時半から仕事開始。もう脳は十分に使える状態になっています。

それから午前一一時半頃までが、私の脳の思考系がもっとも活発に働く時間帯です。

その三時間で、その日の重要な仕事は、なるべく終わらせるようにしています。

音読はなぜ脳に良いのか

音読が脳に良いというのは、最近よく言われていることですが、これは目と口の運動であるだけでなく、脳の入力→情報処理→出力という要素が連続的に含まれているからです。目で文字面を追っているだけでは理解していないこともありますが、スラスラと音読するためには、ある程度内容が理解できていなければいけません。そこに確実な脳の情報処理があります。しかも、それと同時に、声に出すという出力もある。

朝のうちにこの連絡をスムーズにしておくことは、目や耳で捉えた情報をパッと理解したり、考えたことをスラスラと話したり、文章化したりすることに良い影響を与えます。スポーツにたとえて言えば、簡単な連係プレイの練習もしておくといったところでしょうか。

特に、会話の少ない環境にいる方は、ぜひ音読を習慣に取り入れてみて下さい。ただ読むだけでなく、人に聞かせるつもりで読むともっといいでしょう。

手で物をつくる活動を朝の習慣に

料理やガーデニングが朝のウォーミングアップとして効果的である理由は、一つには部屋の片付けと同様です。手をよく使う運動であるだけでなく、前頭葉を使って選択・判断するという要素が入っている。しかも、どちらも思考系を使うクリエイティブな活動です。朝の活動に限らず、手を使って物をつくるということは、脳に良い刺激を与えます。

また、自然に手で触れるガーデニングには、癒しの効果も期待できるでしょう。感情系が癒されていると、それが暴れてイライラするのを抑えるために前頭葉のエネルギーを割かなくて済むので、より気持ち良く思考系を使えるようになります。

朝起きる時間やウォーミングアップの内容は、人それぞれでかまいません。私の例を挙げましたが、もっとウォーミングアップに時間を取らないと脳が活性化しないという人もいるでしょうし、朝からそんなに動いたら疲れてしまうという場合もあると思います。いろいろと試してみて、自分に合った朝の過ごし方を見つけて下さい。

原則として覚えておいていただきたいポイントは、次の三点です。

●脳の活動を安定させるには、生活のリズムを安定させることが大切
●そのためには、まず生活の原点をつくることが大切。朝一定の時間に起きよう
●脳にもウォーミングアップが必要。足・手・口を意識して動かそう

これは、どんな脳トレーニングをするよりずっと大事なことです。現代人には、それを蔑《ないがし》ろにしている人が非常に多いのではないでしょうか？　その習慣を改善するだけで、見違えるように脳がよく働くようになる人が少なくないと思います。

習慣2

生活のどこかに「試験を受けている状態」を持とう

集中力を高める

脳の基本回転数を上げるには

脳の力には、「基本回転数」とでも呼ぶべき要素があります。何か問題を解決しなければならないときに、ぐっと集中を高めて、速く的確な判断ができる。脳に蓄えられている記憶をパッと思考に結びつけ、臨機応変な対応ができる。そういう力量を、本書では脳の基本回転数と呼びます。頭の回転の速さと理解して下さってもかまいません。

脳の基本回転数は、上げようと思えばいつでも上げられるものではありません。

まず第一に、脳が十分にウォーミングアップされている必要があります。習慣1の解説では、朝の過ごし方として、脳のよりベーシックな機能から大ざっぱに動かしていくことが大切と書きましたが、お昼休み明けなどにも、同じことをするのが有効と考えられます。

食事をした後には、血液が胃の周辺に集まりやすくなっているので、脳の機能がどうしても落ちやすい。そのため、仕事などで難しい問題に向かおうとしても、なかなか集中できず、時間ばかりかかってしまうことが多いと思います。そういうときには、少し散歩をするだけでも違うはずです。腹ごなしというのは、じつは脳に血流を巡らせるためでもあります。机の片付けや簡単なミーティングをするのもいいでしょう。

時間と仕事の量の関係を意識する

それから、こちらの方がもっと重要ですが、脳の基本回転数を上げるには、時間の制約が必要です。距離と時間から速さを算出する式がありますが、それにたとえて言えば、距離は仕事の量や問題の量です。何時までにこれだけの仕事をしなければならない、何個の問題を解かなければならないという状況が与えられていないと、速さである脳の基本回転数は上がりません。

これを逆に考えてはダメです。一定の基本回転数が先にあり、時間をかければそれだけの距離が出せる（多くの仕事ができる）わけではないということです。

たとえば、大事な試験を受けるときのことを思い出してみて下さい。九〇分なら九〇分という時間の制約が先に与えられているから、その時間内にあれだけの問題が解けるわけです。その時間の制約をなくしても同じ速さで問題が解けるかと言えば、そうはいかないでしょう。途中で何度も飽き飽きしながら、下手をすると一日近くかかってしまうかも知れません。

医者の世界でも、よくこういうことがあります。私は四〇代半ばまで、脳神経外科医として手術もしていましたが、その記録を後で見返すと、信じられないほど多くの判断と作業を短時間でしていることがありました。それと同じだけの仕事をリラックスしているときにできるかと言えば、絶対にできない。一日かかってもできないかも知れません。

これが「脳の基本回転数を上げるには、時間の制約が必要」ということです。

仕事が速い人の脳の使い方

次に重要なのは、一度脳の基本回転数を上げると、その状態がしばらくは続くということです。誰でも経験があると思いますが、短時間で集中してこなさなければならない仕事を終わらせた後は、他の仕事も勢い良く片付けられると思います。むしろ、基本回転数が落ちるまで、何か作業をしたり、人と話したりしていないと落ち着かないはずです。

仕事を効率良く片付けるには、この性質を利用することが有効と考えられます。

つまり、まずは脳に準備運動をさせて、基本回転数が上がりやすい状態をつくっておく。次に、時間の制約がある中で仕事をし、集中力、頭の回転の速さを高めます。この時間の制約というのは、長くても二時間が限度でしょう。それ以上長くすると、時間と仕事の量の関係が意識しづらくなってしまいます。それでは緊張感が生まれません。

時間の制約がある「試験を受けている状態」が終わったら、すぐに休むのではなく、基本回転数が上がっている状態を利用しましょう。それまでやっていた作業を見直して改善を加えてもいいですし、面倒な雑用をこの時間に片付けておくのもいいと思います。

時間の制約がない中でそういう仕事をしていると、だんだん基本回転数が落ち、また脳が疲れてくるので、休憩を挟みましょう。脳に休養を与えたら、再びウォーミングアップ→試験を受けている状態→基本回転数が落ちるまで仕事……を繰り返します。

仕事がよくできる人たちは、そういうリズムを持っているものではないでしょうか。あるいは、会社や上司がそういう働かせ方をしているのではないかと思います。

「試験を受けている状態」を一日に何回つくるか

逆に、仕事の能率の上がらない人は、生活の中から「試験を受けている状態」をなくしてしまっている場合があります。たとえて言えば、九〇分の試験があるところを「時間をかければできるから」と言って、家に持って帰り、一日かけてやろうとする。ところが、基本回転数が上がらなくなるので、時間を延ばした分、多くの量をこなせるようになるとは限りません。結局、夜遅くまでかかってしまい、「次の日の試験は朝九時からでは大変だから、午後から始めてもいいですか」ということを考え始める……。

律儀で努力家の人ほど「一日二四時間が仕事の時間」と考えがちですが、これは脳の性質から考えて、決して効率的な働き方ではありません。同じ一生懸命に仕事をするのでも、「試験を受けている状態を一日に何回つくるか」という方向に考えを切り替えていかないと、いつまでも脳を上手く使えるようにはならないと思います。

真面目な人が陥りがちな悪習慣

たとえば先日、私の外来にこういう患者さんがいらっしゃいました。

「集中力が続かなくて、仕事が終わらないんです」

会計監査の仕事をされている、もともとは非常に優秀な方です。画像検査や脳機能検査をしても異常は認められなかったので、私は普段の生活について質問しました。

「仕事がつまらないとか、他に気になることがあるとか、そういうことはないですか?」

脳を活発に働かせるには「やる気」も重要です。やる気というのは、脳の領域で言えば大脳辺縁系（特に帯状回）の問題で、ここに障害が起こると、意志的・主体的に行動する力が全体的に低下します。また、他に気になることがあるときにも、目の前の仕事に集中することは困難です。しかし、この患者さんの場合、どちらも問題ないようでした。

「今の仕事は天職だと思っていますし、評価を受けて管理職にしていただいたばかりですから、仕事がつまらないということはありません。他に気になっていることも特には……。気になっているのは仕事のことばかりで、頭がいっぱいになっています」

「ところで、アフター5はどんな風に過ごしていますか？」

「最近はずっと仕事です。定時には終わらないので……」

「お子さんたちとは会話できてますか？」

「できていません。早く家に帰っても寝るまでは仕事をしています」

「家でお仕事をすると、はかどりますか？」

「はかどっているとは言えません。でも、仕事をしていないと安心できないので」

「そうすると、夜寝るのも遅くなるでしょうね」

「はい。深夜一時二時にベッドに入る日が多くなっています」

「大変ですね。起きるのは何時ですか？」

「なるべく八時までには起きようとしていますが……」

できる人は仕事以外も大事にする

実際にはこれだけのやりとりで判断したわけではありませんが、私はこの方の大きな問題は、持ち帰り仕事を当たり前にして、時間の制約を外してしまっていることにあると考えました。最初から「私生活を削って一日かけてもいい」という発想で仕事をしているので、どこでも基本回転数が上がらない。基本回転数が落ちているときには、注意力が散漫になり、余計なことを考えがちになるものなので、時間をかけている割には仕事がはかどらず、休憩や気分転換の時間が長くなる。いつの間にか何時間も過ぎている……。

そういう方が次に陥りがちなのは、長い時間仕事をしていること自体に安心感を求めだすことです。そうすると、ダラダラと一日中仕事をするのをやめられなくなり、就寝時間が遅くなる。生活のリズムが崩れてくるので、ますます脳が働かなくなる。そういう悪循環を自覚したとき、まず必要なのは、時間の制約を取り戻すことです。

この患者さんに、私は次のようなアドバイスをしました。

「私が知っている限り、仕事のよくできる人たちって、仕事も大事だけど、家庭も大事、遊びも大事って考えている人が多いんですよ。どうしてだと思いますか？」

「……いろいろなことに脳を使っているからですか？」

「もちろん、それもあるんですが、もっと大きいのは、時間の制約がはっきりしていることです。五時になったら退社して、家に帰って子どもたちと一緒にごはんを食べなきゃいけない、土日は友達と遊びに行かなきゃいけないと考えたら、何が何でも仕事を定時までに終わらせようとするじゃないですか。そうすると、そこから逆算して、午前中のうちにこれだけの仕事をしなきゃいけない、午後三時までにはこの仕事を終わらせておこうという時間割もはっきりしてくる。その時間割が大事なんです」

「時間を絞った方が、集中して仕事ができるようになるということですか？」

「そういうこともあります。集中力や頭の回転の速さって、それ自体を上げようと思って上げられるものではないんですよ。脳は自分にそういう指令を出せるようにはできていません。できるのは、時間と仕事の量の関係をはっきりと認識することなんです。だから、まず仕事をする時間は何時までと決めて、それ以降はない、と考える習慣を持って下さい。家に帰って子どもたちと過ごすことだって大事じゃないですか」

もちろん、どうしても時間内には終わらず、残業になったり、持ち帰り仕事になったりすることがあるのは仕方がありません。しかし、それを当たり前にしてはいけない。時間の制約を最初から意識しているのといないのとではまったく違います。特に上司が「時間をかければ」の発想で仕事をしていると、部下も会社から帰れなくなる。全体に能率の悪い組織は、そういう悪習慣を持っているものではないでしょうか。

周りの人の回転数も大切

また、基本回転数を高めるには、人と競い合うことも大切です。競い合うという言葉に抵抗があるようでしたら、「あいつが頑張っているから、俺はもっと頑張る」ということでもかまいません。脳の基本回転数は多分に相対的なもので、自分ではこれが限界と思っていても、周りの人が自分以上に速く回転していれば、もっと上げられるものです。スポーツの競走でも、一人で走っているときには好記録を出せませんが、ライバルがいれば、もう一歩前に足を出すことができる。仕事もそれと同じで、孤立してやっていては、なかなか能率は上がりません。他人を意識しながら頑張ることも大事です。仕事の内容にもよるので一概には言えませんが、たとえば、朝からヨーイドンで仕事を始めて、午前一一時までにどれだけできたかみんなで確認し合うとか、午後四時までの成果を上司に見てもらうとか、そういう体制をつくるのは良いことだと思います。

時間の制約は判断を効率化させる

基本回転数の話からは少し離れますが、時間の制約を設けることが有効なのは、重要度が判断しやすくなるからでもあります。

どんな職業でもそうだと思いますが、仕事というのは、突き詰めて考えすぎると、無限個の問題が発見できてしまうものです。

たとえば、私はよく講演などで脳についてお話しさせていただきますが、そのときに、「一時間程度でお願いします」などと要求されるのは、決して困ることではありません。脳の問題というのは、詳しくお話ししようとすると、キリがなくなってしまうものです。シナプスの話からすべきなのか、セロトニンなどの話からすべきなのか、脳の使い方の話からすべきなのか。完全を求めると、話の裾野が無限に広がってしまい、収拾がつかなくなる。時間の制約が与えられていないと、そういう混乱に陥りやすくなります。

それが一時間と限定されていれば、「最低限、この話とこの話はしておかなければいけないな」「この話は時間が余ったらしよう」という風に、組み立てがパッと考えやすくなる。その上で、「誰に話すのか」という対象が分かっていれば、もっと明確になります。「今日のお客さんには女性が多いから、この話から入ろう」とか「若い方も多く見えているから、この話の後でこういう例も出しておこう」といったことが自然に決まってくる。

仕事にも、それと似たところがないでしょうか？　二四時間あると言われたら何から始めていいのか分からなくなってしまう仕事でも、本当に九〇分しかなかったら、「最低限、これとこれはやらなければいけない」「こちらよりこちらの仕事の方が重要度が高い」ということを強制的に判断するはずです。そして、必要十分な仕事というのは、そういう厳しい時間の制約の中で組み立てたものである場合が多いと思います。

時間が限られているときには、「もっと時間があればもっと良い仕事ができる」と考えがちですが、本当に好きなだけ時間が与えられると、その分だけ選択肢が広がってしまい、組み立てを考えるのがより難しくなる。しかも、基本回転数が上がらない中で、それを考えなければいけない。結果的に、仕事の効率が良くなるのではなく、長いだけで要点の見えにくいスピーチのような仕事になってしまうことがあると思います。

いちばん良くないのは、自然に最後まで問題解決できたときが仕事の終わりという考え方で仕事をすることです。基本回転数が上がらなくなる上、選択肢も無限に広がってしまいます。毎日「忙しい忙しい」と言いながら一日中働いている割には、能率が上がっていないように見える人は、そういう悪習慣に陥っているのかも知れません。

この習慣のポイントとなるのは、次の三点です。

- **集中力や頭の回転の速さは、それ自体を「上げよう」と思っても上げられない**
- **意志的にできるのは、時間と距離（仕事の量）の関係をはっきり認識すること**
- **時間の制約をなくすと、「何がより重要か」も判断しにくくなる**

もちろん、「時間をかければ、もっと良い仕事ができる」というのも本当だと思います。

しかし、その時間をかける中に「試験を受けている状態」がなければいけません。

真面目で完璧主義の人ほど、この習慣を持つことが大切になると思います。

習慣3

睡眠の意義

夜は情報を蓄える時間。睡眠中の「整理力」を利用しよう

睡眠中も脳は動いている

よく物忘れをする、思考が上手く整理できないという人は、睡眠不足である場合がよくあります。脳も筋肉と同じように疲労し、その疲労は十分な睡眠を取らなければ回復されません。その理由だけでも、睡眠不足に陥っている人の思考が混乱し始めるのは当然と言えますが、じつは、もう一つ直接的な理由があります。

それは、記憶の定着、思考の整理は、起きている間よりも寝ている間の方が進みやすいという理由です。

こういう経験がないでしょうか? 夜、寝る前に大まかに考えていた問題の答えを、翌朝起きたときに思いついていた。あるいは、一日中考えても出てこなかった良いアイデアが、寝ている間にひらめき、目が覚めた。これは睡眠中も脳が活動を続けている証拠です。

よく言われている通り、睡眠には「レム睡眠」と呼ばれる浅い睡眠と「ノンレム睡眠」と呼ばれる深い睡眠があります。レム（ＲＥＭ）というのは、ラピッド・アイ・ムーブメント（Rapid Eye Movement）＝高速眼球運動の略ですが、このレベルの睡眠中には、文字通り、まぶたの下で眼球が細かく動き続けています。つまり脳も活発に動いている。脳は睡眠に入ったと同時に、パソコンの電源をオフにしたように機能が落ちるというイメージを持っている人が多いかも知れませんが、じつはそうではありません。特にレム睡眠中には、思考系の中枢である前頭葉も含め、脳全体が活動し続けています。

朝、アイデアが浮かびやすいのはなぜか

起きているときとの最大の違いは、新しい情報が入ってこないことです。

起きているとき、脳は目や耳から常に入ってくる情報に対応して、状況を判断し、行動に結びつけようとしています。どんなに頭の中で考える作業に集中しようとしても、起きている間は、思考が外部からの影響を受け、変容していくのを止めることはできません。

寝ているときには、それがほぼ遮断されています。しかし、脳は活動している。何をしているかと言えば、入力がない状態で、一時的に保存していた記憶をより永続的な記憶に変換したり、得た情報を取捨選択し、思考を整理したりしているわけです。しかも、ノンレム睡眠中には大脳も休んでいるので、起きたときには疲労が回復されている。朝、

アイデアが浮かびやすいのは、そういう理由から説明できると思います。

夜の勉強は中途半端にやれ

脳を上手く使うのに、この性質を利用しない手はありません。つまり、眠っている間は何もできないと考えるのではなく、思考を自動的に整理させる時間と考えるわけです。たとえば、翌日使う資料に目を通し、問題点を大まかに考えておくと、翌朝、思考が整理されているということが起こります。教養を身につけるために本を読んだり、単語を覚えたりするのもいいでしょう。今日あったことを日記などに書いておくのもいいです。

よく「夜の勉強は中途半端にやれ」と言われますが、これは言い換えれば、「睡眠中の整理力を活かせ」ということでしょう。眠い頭をカフェインなどで誤魔化しながら、無理をして思考が整理できるところまでやろうとすると、睡眠時間が短くなって、長期的に見ると能率が上がらない。そんなことをするより、夜の勉強は中途半端にやっておいて、睡眠時間を十分に取り、起きてから整理する方が合理的だということです。

私の場合を言えば、仕事から帰った後、家族の話を聞くようにしています。

「今日はどんなことがあった？」

ということを一人ずつ聞いておく。そうすると、どんなに仕事が忙しいときでも、家族の問題が頭の中から消えなくなります。

多少引っかかることがあっても、その場で議論を戦わせるようなことは基本的にしません（もちろん、どうしても「今言っておかなければ」という場合は別ですが）。夜は思考系の中枢である前頭葉が疲れていて、感情系が優位に立ちやすくなっているので、冷静な話になりにくいからです。

また、仕事の課題や取材に対する答えなども寝る前にざっと考えておきますが、必ずしも結論まで出そうとはしません。睡眠中の整理力に期待し、起きてから考えをまとめるようにしています。

最低でも六時間は寝よう

最悪なのは「忙しいから寝る時間を削る」という発想です。もちろん、どうしても睡眠時間を削らなければならない状況もあると思いますが、それを当たり前にしてはいけません。睡眠時間を削ることは、記憶が定着する時間、思考が整理される時間を削ること同じだと考えて下さい。しかも、疲労も回復されにくいので、起きている間にも脳がよく働かない。その蓄積が、やがて物忘れや思考の混乱となって表れます。

人によって必要な睡眠時間は異なりますが、最低でも六時間、できれば七時間半は寝るように心がけましょう。

寝つきを良くする習慣

同時に、寝る前には、睡眠に入りやすい脳の状態をつくっておくことも大切です。

寝る前に深刻な問題を考えたり、刺激的な映像を見たりすると、感情系が興奮して眠れなくなります。そういう活動は昼間にやるべきことと考えて、夜はできるだけ、感情系に癒しを与えることを考えましょう。穏やかな音楽を聴くのもいいし、本を読むのもいいと思います。動物や植物の世話をするのもいいでしょう。現代人は感情系を刺激されやすい環境に置かれていますから、自分を積極的に癒すことがとても大切です。

毎日、寝る前に同じ行動をするのも有効です。これは「入眠儀式」と呼ばれる一種の自己催眠で、たとえば夕食後、片付け→勉強→入浴→明日の準備→読書→就寝……という一連の行動を毎日繰り返していると、その活動の後には必ず眠りたくなってきます。

朝と夜の活動はパターン化されていていいのです。

布団に入ったら、足の指から順に、足→腰→背中→手の指→腕→肩→首と意識して力を抜いていきましょう。特に毎日プレッシャーの中で仕事をしている人は、寝ようとしているときでも体に力が入っているので、この習慣が有効だと考えられます。

逆に、寝る前にしない方がいいのは、次のような活動です。

・刺激的な映像や音楽に触れる
・激しい運動をする
・激しい議論をする
・指先などの末梢神経を刺激する
・短時間で集中して仕事をする

また、カフェインの摂取も、当然のことながら睡眠には良い影響を及ぼしません。人によって異なりますが、カフェインを摂取すると、脳が興奮した状態が五〜七時間は続きます。夜一一時に寝たいのであれば、夕方以降のカフェインの摂取は控えましょう。

本章のポイントとしては、次の二点を覚えておいて下さい。

●睡眠は、疲労回復のためだけでなく、思考の整理を進ませるためにも必要
●夜は情報を蓄える時間に向いている。考えを大ざっぱにまとめ、早く寝よう

習慣3までは、生活のリズムに関することを解説してきました。ここで簡単にまとめをしておくと、次のようになります。

自分の生活と照らし合わせてみよう

まず、必ず実行していただきたいのは、生活の原点をつくることです。寝る時間が多少ずれるのは仕方ありませんが、起きる時間はなるべく一定にして下さい。

朝、アイデアがひらめいていたら、メモに書き留めておくといいでしょう。起きて活動を始め、新しい情報が脳に入力され始めると、アイデアを忘れやすくなります。二〇〇二年にノーベル化学賞を受賞した田中耕一さんは、四六時中メモを持ち歩いていて、思いついたことを書き留める習慣を持っていたそうですが、それは特に朝有効な習慣だと思います。

起きてすぐ仕事に入ろうとすると効率が悪いので、朝のうちに脳のウォーミングアップをしましょう。朝食をしっかりと食べ、足・手・口を意識して大まかに動かしていく。脳の中央に血液を巡らせ、思考系が活発に働きやすい状態をつくったら、短時間で集中して仕事をする時間帯をつくりましょう。脳の基本回転数が跳ね上がります。

一度上げた基本回転数を無駄なことをして落とすのではなく、なかなか手をつけられずにいた面倒な仕事などを勢い良く片付けることに利用すると効率的です。

そのうちに脳が疲れてくるので、休息を挟みます。お昼ごはんを食べ、脳に栄養と疲労回復のための時間を与えましょう。お昼休み明けには、胃に集まりがちな血液を脳に巡らせるため、再びウォーミングアップ。それから基本回転数を上げる仕事をし、その余力を利用して雑用などを進ませる……というのが理想的だと考えられます。

寝ないから良い結論が出ない

脳が疲れている夜は、感情系に癒しを与えつつ、情報を蓄えるのに適した時間です。自分なりのリラックスタイムを楽しみながら、今日あったこと、明日するべきことを大まかにまとめておくと、寝ている間に思考が整理されます。「良い結論が出るまで寝てはいけない」と考える人がよくいますが、これは逆で、寝ないから良い結論が出ないのかも知れません。「睡眠も思考の一部」と考えて、早く寝るようにしましょう。十分に寝て、起きてから熟考する習慣を身につけた方が絶対に合理的です。就寝時間が安定してくると、生活の原点を守ることも自然にできるようになってきます。

理想的な生活リズムを意識する

もちろん、これは一つの理想で、私自身も完全にこの通り実行できているわけではありません。夜に集中して書き物をしなければならず、就寝時間が遅くなったり、ウォーミングアップをする間もなく仕事に入らざるを得なかったりすることがどうしてもあります。それは仕方がないことで、毎日百点満点の生活をしている必要はありません。

しかし、原則として、こういう生活が理想だと分かっていることは大切です。そうでないと、私たちはいつの間にか、正反対の生活に落ちていることがあるからです。

これは脳の基本的な性質で、意志の強さは関係ありません。意志が強いために、アフター5をなくして一日中仕事をしていることが当たり前になり、不安定な生活になっている例はいくらでもあります。安定感のない生活は脳の活動を不安定にします。

主旋律として、ここまでに解説してきた生活リズムを持つことを心がけてみて下さい。それだけで脳が冴えていくことを実感できる人がたくさんいると思います。

習慣4 脳の持続力を高める

家事こそ「脳トレ」。雑用を積極的にこなそう

前頭葉は脳の司令塔

脳を鍛えようと思ったとき、特に重要なのは前頭葉の力を高めることです。近年流行している脳トレーニングも、そこを鍛えることに主眼が置かれているものが多いと思います。

前頭葉は、大脳半球の前方、目の線より上で、耳の線より前のあたりに位置していると想像して下さい（21ページ図参照）。目や耳から入力された情報は、頭頂葉、側頭葉、後頭葉を介して前頭葉に集められます。前頭葉は、その情報を処理する。入力された情報を、記憶として蓄えられている情報と組み合わせ、思考や行動の組み立てをつくり、運動野を介して体に命令を出す。脳の中の司令塔のような役割を果たしています。

サッカーでも、有能な司令塔がいるチームは強いものです。経験的に多少劣っているチームでも、司令塔が的確な指示でチームを動かせれば、それなりの試合ができると思います。逆に、司令塔がチームを動かせないと、戦力があってもそれを活かすことができません。

同じように、前頭葉の力が高くなると、限られた知識や経験しかなくても、それを使って有効な組み立てを考え、行動に移すのが上手くなります。要するに、実行力の高い人になる（知識や経験もあればもっといいのは言うまでもありません）。逆に、前頭葉の力が下がってくると、知識や経験があっても、それを使って合理的な組み立てを考え、行動するのが苦手な人になります。博識なのに、それが活かせないタイプです。

やればできるのにやらない人

前頭葉を鍛えるときには、状況に対して、より速く判断できる、的確な対応が考えられるという、いわばテクニックの部分を鍛えるのももちろん大切ですが、それ以前に重要なことがあると私は考えています。それは、指令を出し続ける体力を高めることです。どんなに速く、的確な組み立てを考えられる人でも、たまにしかその能力を発揮できないのでは、何にもなりません。再びサッカーにたとえて考えてみると、どんなに有能な司令塔でも、九〇分のうち五分しか活躍できなかったら、実戦では役に立たないでしょう。ともかく九〇分間ゲームをつくり続けられる司令塔の方が役に立つはずです。

前頭葉が指令を出し続けられなくなったとき、次に人間を動かすのは感情系の要求です。つまり、面倒なことはしたくない、楽をしたい、人任せにしたいという、脳のより原始的な欲求に従って動いてしまう。結果的に、前頭葉の体力が落ちてくると、やればできるのにやらない人、自分を律して主体的に行動するよりも、人から命令されなければ動かない、感情系の要求に従ってダラダラ過ごす時間の長い人になってしまいます。

それより、人から言われなくても自分から行動し、その状態を持続できる、感情的に困難な問題があってもそれを抑えて行動し続けられるという人の方がずっといいはずです。そういう人は活躍の機会も多く与えられるので、その中で判断力や行動を組み立てるセンスも磨かれていく。結果的に、社会で長く活躍できる人になります。

現代人は脳のタフさが欠けている

多くの現代人が衰えさせているのは、おそらく前頭葉のテクニック的な部分よりも、指令を出し続ける体力です。

脳の基礎体力は、日常的な雑用を面倒くさがらずに片付けることで鍛えられますが、現代ではその日常的な訓練の機会が減っている。便利な機械に任せたり、料理をつくる代わりにコンビニエンスストアでお弁当を買って済ませたりという場面が増えています。

便利なものを利用するのは、もちろん悪いことではありませんが、脳の基礎トレーニングを減らしているかも知れないということは自覚しておいた方がいいでしょう。

前頭葉の体力が日常的に鍛えられていると、面倒くさいことや辛いことに対する「耐性」とでも言うべき力がついて、生活が楽になってくるものですが、現代人はそのベーシックな部分が自然には鍛えられにくくなっている。それでいて、変化の激しい時代の中で、より大きな困難に直面するので、余計に辛く感じるのかも知れません。

若い頃の雑用は買ってでもしろ

脳にとって雑用は、スポーツにたとえて言えば、ランニングや筋力トレーニングです。公式戦のような格好良さはありませんが、それを毎日続けることで、長く動き続けられる人になってくる。その上でテクニックも身につけられれば、もっといいわけです。

よく「若い頃の苦労は買ってでもしろ」と言われますが、これは特に若いうちに前頭葉の体力をつけておくことが重要だからです。若い頃にグラウンドを一〇〇周でも走っていられた選手は、後にテクニックも身につけたとき、九〇分間活躍できる有能な司令塔になれるでしょう。

この言葉は「若い頃の雑用は買ってでもしろ」と言い換えてもいいかも知れません。人のやりたがらないような雑用でも自ら買って出て、コツコツとこなしていた人は、前頭葉が鍛えられ、意志的・主体的に行動する力の高い人になりやすいということです。

「面倒くささ」に耐える力

野地秩嘉さんの『サービスの達人たち』（新潮ＯＨ！文庫）という本の中に、次のようなエピソードが紹介されています。ロールスロイスを日本でいちばん売っていた営業マンの話です。

彼は若い頃に悲しい形で奥さんに先立たれ、男手一つで二人のお子さんを育てざるを得なくなりました。仕事をできるだけ早く終えて家に帰ると、食事をつくり、子どもをお風呂に入れてから寝る。洗濯やお弁当の用意もしなければならなかったでしょう。やがて子どもたちが成長し、お父さんを助けるようになっていくのですが、仕事以外の雑用のために使わなければならなかった時間は、他の人よりはるかに長かったはずです。それでいて、競争の厳しい業界で、トップセールスマンであり続けてきた。

こういう話に接すると、「世の中にはすごい人がいるものだ」と思われるかも知れませんが、脳の性質から考えると必然的と言えるところがあります。やらざるを得ないから毎日やっていた家事が、いつの間にか膨大な基礎トレーニングの蓄積になり、前頭葉の体力が他の人とは違っていた。同時に、仕事をする時間が限られてくるので、基本回転数も上がりやすい。その中で専門的な知識や経験も蓄積されていくので、体力の上にテクニックも身についていく。非常にバランス良く脳が鍛えられていたわけです。

実際、仕事がよくできる人は、若い頃に苦労をしていたり、日常的に面倒な雑用を多くこなさなければならない場面を多く持っているものではないでしょうか。


逆に、すでに脳の体力が落ちて、何をするのも面倒くさいという状態になっている人は、小さなことでも、身のまわりの雑用を片付けることから始めて下さい。

覚えやすくするために格言的な言い方をすると、

●毎日自分を小さく律することが、大きな困難にも負けない耐性を育てる

そういう面が間違いなくあります。部屋の片付けでも、壊れているものを修理に出す作業でもかまいません。自分の身近にある、少し面倒くさいと感じる問題を毎日少しずつ解決するようにしましょう。

そんな雑用をするくらいなら、もっと格好良いことをしたいと思われるかも知れませんが、それは脳の体力をつけてからです。前頭葉の指令を出し続ける力が落ちているときに大きな問題に取り組もうとしても、途中で面倒くさくなったり、辛さに耐えられなくなったりして挫折してしまいます。そして、また何もしない生活に逆戻りしてしまう。そういうパターンを繰り返している人も多いのではないでしょうか。

小さな雑用を毎日積極的に片付けていると、その程度のことなら面倒くさいとは感じなくなってきます。同時に、イライラも抑えやすくなる。これは脳の中で、感情系に対して思考系の支配力が強くなったことを意味しています。そうしたら、もう少し困難な問題に取り組んでいけばいいわけです。そうやって脳の体力を高めることから始めていくと、無理なく、問題解決能力の高い人になっていくことができます。

キーワードは選択・判断・系列化

次に、前頭葉の基礎トレーニングにはどんな活動が理想的なのか、もう少し具体的に考えてみましょう。

前頭葉の主要な活動は、「選択」「判断」「系列化」という言葉に集約して考えると分かりやすいと思います。複数の選択肢があるときに、どちらがいいかを選ぶ「選択」。どう処理するかを決める（あるいは有効性や重要度を見極める）「判断」。その選択・判断を並べていって、思考や行動を組み立てるのが「系列化」です。それをさまざまなレベルで行い、前頭葉からの指令によって体を動かすというのが、私たちの活動の大部分ではないでしょうか。

たとえば、部屋を片付けるときのことを想像してみて下さい。どこから・何から片付けるかを選択する。手に取ったものを捨てるか、取っておくか判断する。仕舞うとしたら、どこに仕舞うのかを考える。その選択・判断を効率的に並べて、部屋を機能的に整理していく。意識してやってみると分かると思いますが、片付けというのは、そういう作業の連続になっているはずです。

実際、前頭葉機能が著しく低下している人は、片付けができなくなります。何をどこに仕舞えばいいのかを考える力が弱いので、必要なものまで捨ててしまったり、ごちゃごちゃに仕舞ってしまったりする（結果的に、物をよくなくすようになります）。

つまり、こういう選択・判断・系列化の要素がバランス良く含まれている活動を多くすることが、前頭葉を鍛える有効な基礎トレーニングになると考えられます。

家事は理想的な脳トレ

私たちの生活の中で、それに向いているのはどんな活動でしょうか？　もちろん、仕事の中にもそういう活動はあると思いますが、もっと身近で分かりやすいのは家事でしょう。

たとえば、料理をつくるときには、その内容に応じて、肉、魚、野菜、果物などの材料を選択する段階があります。次に、それをどう処理するのか判断する。洗う、皮を剝く、切る、調味料をふる、焼く、煮る……。その選択・判断を効率良く並べていかなければ、手早く料理をつくることはできません。しかも、家事として料理をつくるときには、一品だけつくるのではなく、何品も並行してつくるのが普通でしょう。肉じゃがをつくりながら、焼き魚や野菜サラダもつくる。その上、限られたスペースを有効に活用するためには片付けも並行させなければいけない。それも手順の組み立ての中に入ってきます。

器用な人になると、空いた時間を利用して洗濯や掃除までするものでしょう。

こういう家事をテキパキと片付けられるのは、間違いなく前頭葉機能の高い人です。仕事や勉強の中で脳を使うのが高度で、家事の中で使うのが高度でないということはありません。家事を手際良くこなせる人が仕事もできるかとなると、それぞれ求められる知識や経験が違いますから一概には言えませんが、素質としては十分にあると考えられます。

家庭のワークシェアリング

男性にとっても、女性にとっても、毎日の家事を意識してこなすことは、脳の働きを高めるためにとても良いことです。仕事では、誰かが命令してくれたり、全体の流れに乗って動いていれば終わっていくこともありますが、家事は自主的に動かないと終わりません。その、自分で考えて行動するときに、前頭葉の指令を出す力が鍛えられます。

特に定年退職後、家事を習慣の中に取り入れるのは、とても良いことだと思います。仕事で脳を使う機会はいつかなくなりますが、家事は一生なくならないからです。

定年退職前には、会社でも、自分で考えて行動したり、積極的に雑用をこなしたりする場面が減っていたと思います。その中で前頭葉の体力を衰えさせていた人が、そのまま定年退職を迎えると、時間はあっても何も行動する気にならない人になってしまう。

定年後のボケを心配されている方は多いと思いますが、そういう人たちは、まず、家庭内の仕事を積極的にこなすことから始めて下さい。前頭葉の体力を維持する訓練になります。

ずっと奥さんに家事を任せきりにしてきた旦那さんは、それを少しでも自分でやる習慣を持って下さい。「男が家事なんて」という古い考えに囚われていてはいけません。これは脳機能を高めるためのトレーニングです。慣れない家事を意識してやってみると、それがじつは脳をよく使う作業の連続であることに気づくと思います。

家事を独占してきた奥さんは、それを少しずつ旦那さんに譲ってあげて下さい。女性にとって台所は聖域になっているような面がありますから、男性を入れることに抵抗を感じる人もいるかも知れませんが、お互いの脳のためです。それまでに体で覚えてきたことを言語化して人に教えるというのは、それ自体も脳を鍛える訓練になります。自分でやってしまいたくなる気持ちを抑えて、ていねいに教えてあげましょう。

家事の負担が減った分の時間を、新しい活動に費やすともっといいです。カルチャー教室に参加したり、ボランティア活動を始めたり、新しい趣味を持つのもいいと思います。新しいことに挑戦し続けている人の脳は、何歳になっても若いものです。

ポイントを整理しておきましょう。

- 脳を鍛えるときには、司令塔である前頭葉を鍛えることを意識するといい
- 前頭葉を鍛えるときには、テクニック以前に体力をつけることが大事
- 家事や雑用を積極的にこなすことは、前頭葉の体力を高める訓練になる

小さな工夫が脳トレ効果を大きくする

家事をするとき、積極的に工夫を加えていくともっといいでしょう。

脳は繰り返し行われる行動を反射的に処理できるよう、常に神経細胞のネットワーク

を整理しているところがあります。ほとんど眠っていてもできるような活動がありますが、そういう活動ばかり繰り返していても、前頭葉に司令塔としての仕事を十分にさせているとは言えません。家事も長年やっていると、そういう要素が多くなってきます。

週に一度はつくったことのない料理に挑戦するとか、気がついたときに家のどこかを小さく模様替えするとか、その程度のことでもかまいません。家事の中に変化を加え、工夫してこなすようにすると、もっといいトレーニングになると思います。

習慣5

自分を動かす「ルール」と「行動予定表」をつくろう

問題解決能力を高める

書類整理などのルールをつくる

脳の力を最大限に発揮させるには、取り組む問題をできるだけ限定し、それに集中できる環境をつくることも大切です。

前章では、前頭葉の体力を鍛えるための習慣として、「雑用を積極的にこなそう」と書きましたが、忙しい人たちの場合、むしろ雑用に時間を取られすぎ、メインの仕事に集中できなかったり、逆に、枝葉末節をすべて放置せざるを得なくなったりしている場合も多いと思います。そういう人たちに必要なのは、些末な選択・判断を効率化させるルールを持つことです。

たとえば私は、書類整理に関して次のようなルールを持っています。

1　まず、まだ読んでいない書類は一か所にまとめて積んでおく
2　読んだ書類の中で、理解できたものはその場で捨てる
3　理解できたけれど、重要だと判断したものはAの場所に保管する
4　読んだものの理解できなかった書類はBの場所に保管する

ここまでが第一段階です。ここからが第二段階。

5 Aの場所に保管してある重要な書類は、一か月ごとにざっと見直して、捨てるか継続して保管するか判断する

6 Bの場所に保管してある書類は、時間ができたときに再読する（そこでまた、捨てるか、Aの場所に保管するかどうかを判断する）

それに従って実行すると、不要な書類まで溜め込んでしまったり、重要な書類を見落としたりすることが少なくなります。書類整理が苦手な人、日々膨大な書類に目を通さなければいけない人は、このルールを参考にしていただくといいかも知れません。

しかし、もっと大事なのは、こういうルールを自分なりに考えて持っておくということです。

たとえば、次のような雑用を、速く、的確に処理するためのルールを自分の中に持っ

ているでしょうか？

・机や本棚の整理
・名刺の管理
・衣類の処分
・台所の整理
・初対面の人との応対

日頃の経験から「こうすればいいんじゃないかな」と何となく思っていることがあると思います。それを書き出して、実際にやってみて、有効性を確かめて下さい。ルールを決めたら、習慣として定着するまで、紙に書いて貼っておくといいかも知れません。

そういうルールを自分の中にいくつか持てていると、急に仕事量が増えたり、新たな問題が発生したりしたときにも、余裕を持って対処できるようになるでしょう。

個人差はあると言っても、一人の人間ができる仕事の量は限られています。にもかかわらず、膨大な仕事を確実にこなせる人と、仕事がこなせない人の差が歴然と出てしまうのはなぜでしょうか？　それは本章までに解説してきた前頭葉の体力や基本回転数の問題に加えて、こういうルールを持っているかどうかの違いが大きいと思います。

一日の行動予定表を書く

また、脳の力を最大限に発揮させるには、自分の行動予定表を書くことも有効です。たとえば、その日にやるべきことを当日の朝か前日の夜に書いて並べてみる。書かなくても分かると思われるかも知れませんが、書いてみると、行動を意識して行う力が強まり、何となく行動して失敗したり、忘れ物をしたりすることが少なくなります。

そのときに「ここまでは何時までに終わらせる」という時間的要素も書き加えておくと、もっといいでしょう。行動予定表が、時間の制約を意識させるきっかけにもなってきます。

その予定通りに実行できたかをチェックする習慣を持つとさらにいいです。予定通りに実行できたときには、満足感が発生し、それが意欲の向上につながります。

予定通りにいかなかったときには、その理由を簡単に分析してみましょう。予定外の雑務が発生したためにできなかったのか、以前より体力が落ちていたためにできなかったのか。自分の脳を取り巻く問題や現在の実行力などが見えてきます。そういう現状が把握できてくると、より現実に即した行動の予定が立てられるようになるはずです。

問題解決に至るプロセスを書く

また、複雑な組み立てが要求される仕事が発生したときにも、書くことから始めるといいでしょう。

まずは問題解決のゴールを設定し、そこに至るまでのプロセスを大筋で考えてみる。それを書きながら考えると、主要な手順やその前後に発生してくる作業、選択・判断の場面などが見えやすくなります。時には、問題解決のゴール自体を修正した方がいい場合もあるかも知れません。それを臨機応変に考え、手順を並べ替え、より的確な問題解決の手段を組み立てる力が、いわば前頭葉のテクニックです。必要な要素を書いたり消したりしながら組み立てを考えたら、フローチャート式にまとめるといいでしょう。一目で分かるように清書すると、そこでまた思考が整理されます。

書く紙は裏紙でも何でもかまいませんが、書くことが大切です。脳の中で組み立てようとしている情報を視覚化するのは、前頭葉の仕事を助けることだと考えて下さい。

七つ以上の要素を同時には処理できない

人間の脳には「マジック7」と呼ばれる性質があり、同時に脳の中で保持したり、系列化したりできる要素は、多い人で七つ、少ない人で三つの五±二が標準的と言われています。それ以上の要素を一度に頭に入れようとすると、どうしても忘れてしまう。それを補うには、情報を書いて目に見える状態にしておくか、どこかでまとめをすることが不可欠です。

まとめをするというのは、たとえば、A→B→C→D→E→F→G→H→Iという要素があるとしたら、それをA～C＝1、D～F＝2、G～I＝3という三段階に大まかに分けて考え、それを把握してから細部に目を移していく。あるいは、まずA→B→Cというプロセスをしっかりと記憶に定着させてから、それ以降を考えていく。そういう考え方をすると、脳の中に七つよりずっと多くの要素を並べておけるようになります。そのまとめをするのにも、書いて視覚的に捉えられるようにすることが有効です。

前頭葉のテクニックの高め方

また、書くことによって、自分の考えに対する客観的な反省もしやすくなります。

頭の中だけで考えようとしていると、どうしても主観に囚われやすいものです（最初に思いついたアイデアの重要度を過剰に高く評価して、後から思いついたより重要な考えをあっさり頭の中から消してしまったり、最初のアイデアが全体の流れを悪くすることに気づかなかったりします）が、それを書き出しておけば、客観的な情報同士として並べることになるので、より公平な判断がしやすくなります。

清書したフローチャートを上司や同僚、場合によっては家族などに見せて評価してもらうと、もっといいでしょう。他人によるより客観的な分析がそこに加えられます。

時には、自分が考えていたのとはまったく違うプロセスを提示されることもあるかも知れませんが、それはそれで一つの判断材料と考えましょう。一〇〇％どちらかが正しいという場合だけでなく、A～Eまでは自分の案の方が有効、それ以降は上司が考えた案の方が良さそうだという場合もあると思います。それを受けてまたフローチャートを修正する。そういう錬成を通して、前頭葉のテクニックは鍛えられていくものです。書き出していないと、そういう成長も起こりにくくなります。

要点を整理しておきましょう。

●些末な選択・判断を効率化させるルールを持っておくと、脳の力を有効に使える
●一日の行動予定表や仕事を解決するまでのプロセスを書くのも、脳の仕事を助ける
●書いたものを自分で分析したり、他人に評価してもらったりすることも大切

「ナビゲーション社会」を生きる

本章で提案したい習慣は以上ですが、それが現代人にとって必要であると思われる理由について、少し書き足しておきます。

効率化を極度に求められる社会の中で、私たちは一日の大半を人の脳に動かされて行動しがちなものです。決められた時間に決められた場所に行き、与えられたルールやマニュアルに従って仕事をする。ルーティンワークをしている人たちだけでなく、組織のトップに立っている人でも、じつは会社から求められた選択・判断をその場その場でしているだけという場合があると思います。そこにさらに、現代では、行動をナビゲート

してくれる便利な道具が普及している。パソコンやインターネットを使っているときのことを思い出していただくと分かりやすいと思いますが、

「次はこうして下さい」

「ＹＥＳですか？　ＮＯですか？」

「よろしければこのボタンを押して下さい」

という風に、行動の組み立てはＩＴの側で用意してくれ、操作している人間は、細切れの選択・判断だけしていればいい。生活の中に、そういう場面がどんどん増えていると思います。


カーナビも、文字通り行動を誘導してくれる道具です。道順を組み立てるというのも、前頭葉を使う選択・判断・系列化ですが、その仕事をカーナビが代行してくれる。現代には、そういう「ナビゲーション社会」とでも呼ぶべき一面があると思います。

そうして、下手をすると一日中、大きなことから小さなことまで、自分の脳を使って行動を組み立てた場面がどこにもなかったということもあり得てしまうのです。

人間は社会の歯車として動かされていることも大切ですし、同時代の多くの人が利用

している便利な道具を当たり前に使いこなすことも大事でしょう。しかし、それに流されて、反射的に行動しているだけの人になってはいけません。自分の脳を使って行動を組み立てる。自分のルールで行動する。そういう場面を確実に持っておくことが大切です。

現代のような時代だからこそ、本章で提案した「書きながら考える」「書いて確認する」というアナログな習慣が、より大切になっているのではないかと思います。

忙しいときほど「机の片付け」を優先させよう

習慣6

思考の整理

頭の回転が速いのに物忘れをする人

先日、私の外来に次のような患者さんがいらっしゃいました。

大手不動産会社で、まだ三〇代ながら支社の部長になったという方です。患者さんと言っても、病院で治療を受けるようなレベルの人ではありません。訴える症状は、「物忘れがひどく、大事なことをよく忘れる。そのため仕事で混乱している」ということがメインです。それで、自分は脳がどうかしてしまったのではないかと心配していらしたわけですが、お話を聞いていると、頭の回転が非常に速いことがよく分かる。前段のやりとりは省略しますが、話の筋道が通っているのです。しかも、こちらから促さなくても、長い話をし続けられるので、前頭葉の体力が落ちている人にも見えません。

ところが、ヒヤリングをしているうちに、明らかな問題点が見えてきました。

筋道の通った長い話になっているのに、なぜ混乱しているのか、どう混乱しているのかという要点が見えてこないのです。ご自分なりに「これが原因じゃないか」「先生の本に書いてあったこういうケースと似ている」といったことを判断しておっしゃいますが、それが二転三転する。頭が良いと感じるのは、その話の辻褄が合わなくなるようなことがないからですが、どこか思いつきが先にあり、後から理屈をこじつけているようにも聞こえる。そのために無駄に話が長くなっているようにも感じられるのです。

一通りのお話を聞いてから、私はこんな質問をしてみました。

「ところで、今日持っていらしたカバンの中には何が入っていますか?」

「カバンの中ですか? えーと、携帯電話と手帳と仕事の書類などです」

「その仕事の書類を差し支えない範囲で教えていただけますか?」

「えーと、何だったかな。今やっている仕事の書類と……」

「カバンを開けて確認してみて下さい」

確認してみていただくと、思いがけないものが入っていたという表情をされていました。

「……先月終わった仕事の資料も入ってましたね。それから、時間があるときに役所に提出しようとしていた書類も……。最近、忙しすぎて整理する時間がないんです」

今度は会社の机の引き出しに入っているものを尋ねてみました。

「えーと、何だったかな。引き出しのいちばん上に入ってるのは……」

「机の上はきちんと整理されますか?」

「いや、散らかっています。書類が山積みになっています」

「片付けないのはどうしてですか?」

「先にやらなければいけないことがありすぎるんです」

思考の整理は物の整理に表れる

物忘れを訴える患者さんの中には、こういう人がよくいます。カバンや机の引き出しに何が入っているのかを質問してみると、明確に答えられない。それは記憶力に問題があるからではありません。仕舞うときに、自分で意識して整理していないからです。「この資料はよく使うから手に取りやすいところに置いておく」「この関係の書類は大事だから、ファイル化してここに仕舞っておく」「この書類はもう使わないから処分する」という整理を日常的に行っていれば、何がどこにあるかを聞かれてもパッと答えられるはずですが、何となくそこらへんに置いているので、後で思い出そうとしても思い出せない。

そういう人が、仕事で混乱に陥っていくのは当然だと思います。

大きな仕事を任されたときには、思考を整理するということがどうしても必要です。人間の脳には限界があるので、一〇〇個の問題を覚えていろと言われても、とても覚えていられません。一〇〇個の問題を、たとえば五種類の問題に分類して、A、B、C、D、Eの案件があるという風に整理するから、大ざっぱに覚えていられる。さらにそのAの問題にはa、b、c、d、eという問題があるという風に整理するから、後でAの案件の中にあるaの問題には、a1、a2、a3、a4の要素が含まれているという風に、一〇〇個の問題全部を思い出せるわけです。これを思考の「ファイル化」と呼びます。

ファイル化ができているかということは、身の回りの物の整理に端的に表れます。たとえば、一〇〇個の問題をいくつかのレベルでファイル化できていれば、Aの案件とBの案件に関する資料で、仕舞う場所が自然と違ってくるはずです。あるいはaの問題に関する資料はこのファイルにまとめておく、中でも優先課題であるa1に関する資料を目立つところに置いておくという風に、机の上が整理されてくるのが当然でしょう。

また、カバンの中身も、今週はaの問題とb1の問題を解決しなければならない時期だから、その資料を入れておくという風に、入れるものが限られてくると思います。ところが、それをしていないから、どこに何があるのか分からなくなるわけです。

要領の良い人ほど整理を怠る

ファイル化することの次に重要なのは、仕事の優先順位をつけることです。一〇〇個の問題すべてを完璧に解決できれば、それに越したことはありませんが、普通はできません。一日が二四時間、一か月が三〇日前後しかない中で、どうしても解決できない問題が発生してしまいます。それは仕方がないことで、大事なのは、その解決できないことができるだけ些末な問題になるよう調整することです。そのためには、仕事の重要度を先に判断して、解決する優先順位を考えておかなければいけません。それができているかということも、身の回りの物の整理に自ずから表れてくると思います。

身の回りの物の整理ができていない人は、前頭葉の選択・判断・系列化する力が衰えている場合もありますが、前述の患者さんはそうではありません。前頭葉の体力が落ちているわけでもない。整理しないことが悪い習慣として定着しているのです。

そういう人は、多くの場合、もともとの能力として仕事ができない人ではないと思います。むしろ、人並み以上に要領が良く、若い頃から評価されていた、その能力を自分で過信している場合が多いと、私は外来を訪れる人たちと接していて感じます。

私などは、自分が要領のよくない人間であることを若い頃から自覚しているので、まずは整理をすることがいちばん大切と考えてきました。仕事をファイル化し、優先順位をつけておかないと、何からやっていいのか分からなくなってしまうからです。

ところが、世の中にはうらやましいほど要領の良い人たちがいて、比較的初歩的な仕事であれば、そんな整理をしなくても、直感力と応用力の高さで何となくできてしまう。学生時代で言えば、計画的に勉強しなくても試験では結果を出せるようなタイプです。そういう人たちは、整理しない分仕事が速いので、若い頃には優秀に見える場合があると思います。

しかし、そういうやり方が通用するのは、はっきり言えば、若いうちだけです。どんな業界でもそうだと思いますが、ある程度立場が上がってくると、必ず個人の限界を超える範囲の問題を見なければならなくなってきます。二〇個の仕事であれば、整理しなくても全体が見通せていた要領の良い人でも、一〇〇個の仕事となるとそうはいかないでしょう。必ず混乱したり、大事な問題を見落とすようになってきます。

そういうときに脳の使い方をすぐ改められればいいですが、若い頃からの成功体験があるので、なかなか変えられない。混乱して時間が足りなくなるほど、整理の部分を端折って時間を短縮しようとするので、ますます混乱する。無駄な動きが多くなって、さらに時間が足りなくなる。そうして深みにはまっていくパターンがあると思います。

机の整理は優秀な上司を持つことと同じ

思考は、できるだけベーシックな段階からファイル化していかなければ、より高いレベルでの整理はできなくなるものです。そこを蔑ろにしていることが混乱の原因になっていると思われる方が外来にいらしたとき、私は次のように提案しています。

「忙しいときほど、身の回りの物を整理することを優先させて下さい」

混乱の原因は思考が整理されていないことにあるわけですが、混乱しているときに、そういう抽象的な指示を出されても、どうすればいいのか分からなくなります。常に身の回りの物を整理しようとしていれば、思考も強制的に整理されるようになってきます。

前述の患者さんに、私は次のようにお伝えしました。

「机やカバンの中身が機能的に整理されているということは、優秀な管理者を上司に持っていることと同じだと考えて下さい。仕事がたくさんあるときでも、上司が『今日はこの仕事に集中しなさい』『今はこのことだけ考えればいいよ』と言って、資料をまとめて渡してくれたら、安心してその仕事に取り組めるじゃないですか。その上司の仕事を自分でやる習慣を持って下さい。一つ一つの仕事に集中しやすい環境を常に自分でつくる。それが身の回りの物の整理を優先させるということなんです。そういう習慣を身につけるだけで、仕事で混乱することは少なくなると思いますよ」

より具体的な提案としては、クリアファイルや整理箱などを用意して、書類を分類するという作業から始めるといいと思います。そのとき「自分さえ分かればいい」という感覚で整理するのではなく、ある程度は他人が見ても分かるように、ファイリング、ラベリングすることが大事です。そこをいい加減にやってしまうと、あまり効果がなくなります。

しっかりと分類することは、物理的なファイル化であると同時に、思考のファイル化そのものでもあります。それをした上で、今度は優先順位を考え、机を機能的に整理していきましょう。そうすると、思考の混乱も自然と収まっていくと思います。

この章で覚えておいていただきたいポイントは次の二点です。

●物の整理は思考の整理に通じている。忙しいときほど片付けを優先させよう

●仕事で混乱したときは、机を機能的に整理することから始めると立て直しやすい

前章までに解説してきたことを加えて言うと、脳の力を最大限に発揮させるには、まず仕事を整理し、優先順位をつけることが大切です。机やカバンの中身を整理することは、その時々に集中するべき仕事をはっきりさせることに通じています。片付けは手をよく使う運動でもありますから、脳のウォーミングアップに組み入れるのがベストでしょう。

同時に、習慣5で解説したように、些末な選択・判断を効率化させるためのルールを自分の中に持っていると、脳の力をより有効に使えるようになります。

その日にやるべき仕事を当日の朝か前日の夜に書き出しておくのも良い習慣です。思考を整理し、今やるべき仕事をはっきり認識することにつながります。

解決までに複雑なプロセスが求められる仕事が発生したときには、書きながら考え、

最後に見やすいフローチャートにまとめるようにしましょう。問題を考えやすくなるだけでなく、長期的に見ると、前頭葉のテクニックを高めるトレーニングにもなります。

また、思考が混乱しているときには、生活のリズムも崩れている場合が多いので、それを整え直すことも大切です。時間の制約を意識して仕事をし、夜は睡眠中の整理力に期待して早く寝る。それで朝一定の時間に起きるリズムが整えられてくると、脳がより冴えた状態になっていきます。まずは脳に本来の力を取り戻させることが重要です。

忙しいときほど、ベーシックな習慣を大切にするようにして下さい。

意識して目をよく動かそう。耳から情報を取ろう

習慣7

注意力を高める

小さな平面を見ている時間が長すぎる

現代人の脳を取り巻く環境の中で、一〇年前と今とでもっとも変わったことは何でしょうか？　いろいろあると思いますが、最大の一つは、「小さな平面を見ている時間が長くなった」ということだと思います。

一日の生活を振り返ってみて下さい。一体どれだけ、テレビやパソコンの画面、携帯電話のモニターなどを見ている時間があるでしょうか？　電車に乗っていても、人を観察したり外の景色を眺めたりするのではなく、携帯ゲーム機の画面を見つめていたり、車内に設置されたモニターを見ている場合がよくあると思います。

ＩＴの普及が人間の脳にもたらしている影響は、功罪両方の面があると私は考えていますが、この「小さな平面を見ている時間が長くなった」という一面に関しては、どう考えても良くないことです。最近、思考の働きが鈍くなった、人から話しかけられたときにパッと反応できないことが多くなった……などと感じている人は、まずこの影響を疑ってみる必要があるかも知れません。

あらかじめ断っておきますが、本章で申し上げたいのは、「だからITを使うのはやめよう」ということではありません。これからもっと積極的にITを活用していくべき時代だからこそ、その問題点にも気づき、対策を知って下さいということです。

人をボケさせる方法

小さな平面を長時間見ていることが脳にとってなぜ良くないのかということは、少しショッキングな例ですが、次のように考えてみると分かりやすいと思います。

人間をボケさせるもっとも確実な方法は、一切の情報を与えないことです。

極端な例から言うと、一日中椅子に縛りつけて、壁だけ見させていたら、その人はどうなるでしょうか？　おそらく一週間も経たないうちに、まともな思考力を失うと思います。

次に、同じ状況で、壁にテレビが設置されていたらどうでしょうか？　テレビを見ていれば情報が入ってくるから問題ないと想像されるでしょうか？

これに関しては、近いことを実際に周りの人にさせてしまっている場合がよくあります。典型的な例は、足腰が弱くなってしまったお年寄りで、そういうおじいさんおばあさんを家族が外に連れ出したり、家事に参加させたりしてあげていればいいですが、忙しいとなかなかそうもいかない。そうするとお年寄りは、体をほとんど動かさず、部屋にこもってテレビばかり見ているようになってしまいます。

テレビから情報は入ってきますが、それはあくまで平面に映し出された情報です。外に出て景色を見たり、花の匂いをかいだり、動物に触れたりしているときの質感が圧倒的に欠けています。もちろん、壁だけを見ているよりはいいですが、そういう状況に置かれていても、人はやはりボケてしまうものです。

次に、テレビがパソコンに変わったらどうでしょうか？　キーボードを操作して、自分が得たい情報にアクセスできるとします。耳にはヘッドフォンを当てて、音楽を聴いているとしましょう。目と耳から情報が入ってくるし、思考系の活動もしているから大丈夫と思われるでしょうか？

私の判断では、テレビだけを見ている場合と同じように、脳機能を維持するのは難しいと思います。そして実際、現代人には、それに近い生活を何年も続けているような人が多いのです。

目を動かすと脳が動く

問題は、目を動かして立体的な情報をキャッチしているかということにあります。目は人間にとって、最大の情報の入り口です。その目を動かして積極的に情報を取ろうとしているとき、動かしているのは、じつは目だけではありません。脳の情報を捉えようとするフォーメーション全体がダイナミックに切り替わっていると考えられます。

たとえば、遠くから人に呼びかけられたときのことを思い出して下さい。その人の姿が見つけられないときは、何を言っているのか正確に聴き取れないものですが、目を動かして相手に焦点を合わせられると、言っていることも聴き取りやすくなります。これは目を動かしたのと同時に、聴覚的な注意もその方向、距離感に合わせられたということです。

また、遠くに飼い犬の姿を見つけたときのことを想像してみて下さい。実際に捉えたのは視覚的な情報だけでも、耳には荒い鼻息が聞こえ、手にはゴワゴワした毛の感触が甦るものではないでしょうか。そして近づいていって、犬の頭を撫でてやったときに、そのイメージしていた情報と実感として捉えた情報が一致したことに安心する。

つまり、私たちの脳は、情報が与えられるのを受け身的に待っているのではなく、積極的に迎えに行っている。注意の向け方をそちらに切り替え、五感をフル活用して情報を集めようとし、また、足りない情報は想像で補い、常に立体的に情報を捉えようとしていると考えられます。そして、その最大の鍵になっているのが目の動きなのです。

目を動かさない人が陥りやすい症状

その目を動かさない時間が長くなりすぎると、視覚的注意の向け方がスムーズに切り替わりにくくなります。

これは誰でも経験があるのではないでしょうか？　長時間パソコンに向かって作業をしたり、何時間も続けてテレビを見たりした後、外に出てみると、周囲の風景がガチャガチャと雑然として見えてしまい、情報が上手く取れない不安を感じる。これは、長い時間画面に集中していたために、その角度、距離感から、視覚的注意の向け方が変わりにくくなっているためだと考えられます。また、長時間同じ作業をしている間に、大部分の脳機能はお休みの状態になっていたはずなので、外に出て急に入ってきた情報に対応するのも難しい。それで何だか頼りない感じになるのだと考えられます。

このこと自体は一時的な現象で、脳機能の低下とは関係ありません。映画館で長いロードショーを観たときと同じで、外を歩き、目を動かしているうちに、また注意の向け方が柔軟に切り替わるようになってきます。

ところが、目を動かさない時間があまりにも長い生活を毎日、何か月も続けてしまうと、簡単には戻らなくなるということが起こり得ます。前方の限られた範囲に注意を集中している世界から、抜けられなくなってしまうのです。そうなっている人は端から見ると、パソコンやテレビに向かっていないときでも、常に一点を見つめているように見えるのと同時に、本人の自覚としては、次のように感じる場面が多くなるはずです。

・人から話しかけられたときにパッと反応できなくなる
・周囲の変化に疎くなる
・人から物忘れを指摘されることが多くなる
・同じことを繰り返し考えがちになる

「人から話しかけられたときにパッと反応できなくなる」というのが、もっとも分かりやすい話でしょう。

私たちは何か行動するときに、まずは状況を分析できていなければいけません。つまり、人から話しかけられたときには、その人が誰であるのか、何を求めているのか、どんな感情を持っているのかということを、姿形や表情、声音などの情報を捉え、総合的に判断できていなければなりません。正常な人は、多くの場合、その分析を一瞬で行います。だからスムーズに、場違いでない返答をすることができるわけです。

ところが、目が動きにくくなっている人は、まず視覚的注意を話しかけてきた人に合わせるのが遅くなります。そうすると、聴覚的注意もすぐにはそちらに向けられないので、相手が何を言っているのか咄嗟に理解できない。それで、

「…………」

どう反応していいか分からなくなってしまいます。

家族の記念日を忘れる人

そういう人は、当然、周囲の変化に疎くなります。物理的な変化に気づきにくくなる

だけではなく、周囲で起こっていることに対する想像力が欠けてくることがあります。

その結果として、よく引き起こす問題は、家族のことを忘れがちになるということです。たとえば、子煩悩だったお父さんが大切な授業参観日を完全に忘れたり、愛妻家だった旦那さんが、結婚記念日のイベントを思いつきもしなくなったりします。

「物忘れを指摘されることが多くなる」というのも、前述のような状態に陥っている患者さんがよく口にする症状です。しかし、多くの場合、本当は忘れているわけではありません。そもそも聴き取れていないのです。話しかけられても、そちらにパッと注意を向けることができないので、情報が脳に入力されていない。それでいて、無意識的に「うん」と返事をしていたりするので、相手は伝えたものだと思ってしまう。ところが、その要件は本人の脳に入力されていないので、実行もしない。それが周りの人からは、物忘れをしているように見える。そういうことをたびたび起こすようになります。

思考が堂々巡りするようになることも、視覚的注意が切り替わりにくくなっていることが一因となって起こると考えられます。注意の向け方がダイナミックに切り替わっているときには、生きた情報が次々に入ってくるので、それに対応して思考もどんどん変化していきます。ところが、目を動かさない人は、その機会が減るので、どうしても同じことをしつこく考えがちになる。時としてこういう人は、みんながとっくに忘れているような問題を突然思い詰めたように語りだし、周囲を驚かせることがあります。

ここまで極端な状態に陥っている場合には、情緒障害の可能性を判断する意味も含めて、気軽に専門医の診察を受けていただきたいと思いますが、もっと浅いレベルでそうなっている場合には、次のような習慣を持つことを心がけてみて下さい。

目のフォーカス機能を使おう

一つは非常に簡単なことですが、一時間に一回は、目をよく動かすことです。このとき、上下左右斜めに動かすだけでなく、目のフォーカス機能を使うことを意識しましょう。

窓から遠くのビル群を眺めたり、その上に浮かぶ雲を見たり、飛行機に焦点を合わせてみたりする。現代人は、小さな平面を見すぎているという以前に、狭い空間で至近距離を見すぎていますから、ときどき意識して、思い切り遠くを眺める必要があります。

遠くを見て想像力を働かせたら、今度は思い切り小さな世界に焦点を合わせてみましょう。観葉植物の葉脈を観察したり、土の上を歩くアリの精密な動きを観察してみたりするのも面白いかも知れません。そうやってダイナミックに目を動かしていると、脳のフォーメーションもダイナミックに切り替わり、思考に柔軟さが出てきます。

時間があるときには、できるだけ外を散歩するようにするともっといいです。歩いているとき、人は安全を確保するために、目をキョロキョロと動かそうとします。一日に一時間歩くだけでも、目の動きは十分に確保されるようになるでしょう。

このとき、携帯型音楽プレイヤーで音楽を聴きながら颯爽と歩くのもいいですが、時にはそれを外して、耳から入ってきた情報をきっかけとして目が動く場面をつくると、もっといいと思います。

都会に自然がなくなったと言われて久しいですが、私の病院がある東京の北品川ですら、そんなことはありません。注意して聞き耳を立てていると、鳥や虫の声がよく聞こえてきます。そうしたら、そちらに視覚的注意を向けてみる。五感をフル活用して、立体的に情報を取ろうとする、またそれを通して、その場にある情緒も感じ取ろうとするのは、脳にとってとても良いことです。

ラジオを使った脳トレ

また、目を動かすことが大切と書いてきた本章の趣旨からは少し離れますが、時には視覚的情報を遮断した状態で、耳から情報を取る訓練も必要だと思います。小さな平面を見ている時間が長い人は、情報の入力を目に頼りすぎている場合が多いからです。

私が外来を訪れる患者さんによくおすすめしているのは、ラジオを利用した訓練です。ニュース番組でも情報バラエティ番組でもかまいません。耳だけを頼りに、情報を取ろうとしてみて下さい。あまりにも聴き取れないことに、驚く人が多いと思います。

聴き取れたかどうかを確認するために、メモを取りながら聞くようにするとより効果的でしょう。私の外来では、そのメモを元に、内容を思い出して話していただくというトレーニングもよく行います。そうすると、耳からの情報の入力→自分でメモを取りながら要点をまとめる情報処理→内容を話して再現する出力という要素が、全部そろってきます。

そういう訓練を続けていると、人の話がスムーズに頭に入ってくるようになるはずです。その上で、視覚的注意もスムーズに切り替えられるようになると、人から話しかけられたときにパッと反応できなくなるということも少なくなるでしょう。

本章のポイントを整理しておきます。

- **脳の健全な働きを保つには、目を動かして積極的に情報を取ることが必要**
- **目を動かす（フォーカス機能を使う）時間を意識的に多く持とう**
- **視覚的情報が遮断された状態で耳から情報を取る訓練をするともっといい**

ＩＴと脳の健全な共存の基本は、こういうことにあるような気がします。モニターは情報を得る一つの手段にすぎないということを意識するようにして下さい。

「報告書」「まとめ」「ブログ」を積極的に書こう

習慣8 記憶力を高める

脳の入力→情報処理→出力を確認する

私の外来ではよく、新聞のコラムを「書き写す」「音読する」「中に出てきた単語を思い出して、できるだけたくさん言ってもらう」というトレーニングを行います。その目的は、次のような脳の使い方を確認し、その能力を向上させるためです。

・情報を意識的に脳に入力する
・情報を脳の中で保持する
・入力した情報を解釈する
・脳の中にある情報を出力する

この訓練が特に効果的なのは、普段、緊張する相手と会話する機会が少ない人たち、脳の状態としては、次のような症状を自覚されている人たちです。

・見た情報、聞いた情報をすぐに忘れてしまう

・人の話がスムーズに頭に入ってこない
・言葉が出てこなくなることがたびたびある
・自分の考えをまとめて話すことが苦手

「見た情報、聞いた情報をすぐに忘れてしまう」というのは、情報を意識して脳に入力する機会が少ないからかも知れません。

私たちの脳は、見た情報、聞いた情報をとりあえずすべて記憶するようにできています。そのため、覚えたつもりのないことでも、同じ情報をもう一度見たとき、聞いたときに、「あ、これ知っている」と分かったり、ふとした拍子にそれを思い出したりする。

ところが、意識的に脳に入力されていない情報は、思い出したいときに思い出すことができません。つまり、自分の記憶でありながら、自由に使える記憶にはなっていないのです。

そういう記憶ばかりを増やしてしまっていないかということを、まずは確認する必要があると思います。

人に伝えることを前提として情報を取る

情報を意識的に脳に入れるためには、基本的に、その情報を出力する、いつか人に伝えるという前提が必要です。その理由は、こう考えてみると分かりやすいでしょう。

たとえば、街を歩いているとき、ただ何となく歩いていて、後で、

「途中に何がありました？」

と聞かれても、思い出せる情報はごく限られているはずです。しかし、先に、

「途中に何があったか後で教えて下さい」

と言われていれば、めぼしい情報を意識して脳に入力しようとするでしょう。そうすると、後でたくさんの情報を思い出すことができるし、その記憶は時間が経っても消えにくくなります。

使える記憶を増やすためには、そういう指示をされていなくても、いつか出力することを前提として、意識的に情報を取ろうとしていることが大切なのです。

文章を読んだり、人の話を聞いたりするときにも、同じことが言えます。ただ読んだだけ、聞いただけでも「分かったつもり」にはなれますが、後で自由に引き出せる記憶

にはなりません。素通りした街の景色のように、思い出すことができなくなります。

情報を後で誰かに伝えようと思っていれば、要点を意識的に捉えて、脳に入れようとするでしょう。そうすると、その要点を断片として、文章や話の全体も思い出しやすくなる。話が上手い人、話題の引き出しが多い人は、話術に長けているだけでなく、そういう意識を常に持って、文章を読んだり、人の話に接したりしている人だと思います。

逆に、人と会話することが少ない人は、どうしても「これを後で○○さんに話そう」という意識を持って情報に接する機会が減ってきます。そうすると、たまに意識を集中させて情報を取らなければならない場面が発生しても、それができなくなる。その力を取り戻すために、私の外来では、「中にあった単語を後で思い出して言って下さいね」とお願いしてから、新聞のコラムを書き写したり、音読してもらったりするトレーニングを行うわけです。

同じ訓練をご家族で試していただくのも、もちろんいいと思います。

情報を脳の中で保持する

次に、見た情報、聞いた情報を後で引き出しやすい記憶にするための意識的な操作について、もう少し具体的に考えてみましょう。

まず必要なのは、その情報をできるだけ長く脳の中に留めておくことです。長くと言っても、数秒でかまいません。そのフレーズを頭の中で復唱したり、口ずさんでみたりする。新聞のコラムの書き写しが有効なのは、そういう機会を自然に発生させるからです。ただ黙読するだけでは、情報が次々に流れていってしまいますが、書き写すためには、ある程度の言葉のまとまりを一時的に脳の中に保持しておかなければいけません。そのとき、思わず口ずさみながら書いたりもすると思います。そういう作業の連続になっているところが、書き写しが脳のトレーニングになる第一の理由です。

なお、書き写すときに、パソコンやワープロを使ってもいいですが、手書きの方が時間がかかる分、脳のトレーニングとしてはより効果的でしょう。

情報を解釈する、イメージで捉える

情報を使える記憶にするために、次に必要なのは「解釈する」ということです。

意味が分からない情報は、どんなに長く脳の中に保持しておいても、自由に引き出せる記憶にはなりません。そういう記憶でも、後で改めて勉強し、意味が理解できたときに忘れにくくなるということがありますから、無駄とまでは言いませんが、それよりも、自分で解釈して覚えた記憶を増やしていくことの方がずっと有意義でしょう。

音読が有効な理由の一つは、そういう解釈の仕方を自動的に訓練することになるからです。

まったく意味の分からない文章を音読することも不可能ではありませんが、何度もつっかえたり、どこを読んでいるのか分からなくなってしまったりします。スラスラと音読できるようにするためには、意味が分からない単語をできるだけなくし、また、大まかなイメージとして内容を捉えるということができていなければいけません。

そのために私の外来では、音読する前に、黙読してもらったり、書き写しをしてもらったりします。その間に大意が捉えられていると、音読もスムーズにできるようになる。大意が捉えられていないと、ぎこちない読み方になってしまいます。そのときには「どんなことが書いてあるか大まかに理解して下さい」と言って、また黙読してもらい、音読してもらう。そういう訓練を続けていると、脳が捉えた情報をパッと解釈する能力が高まります。

また、書き写しや音読をすると、細部の情報まで確実に捉えることになるので、それ自体もイメージをより具体化し、解釈を深めることに役立ちます。黙読しているだけでは、無意識的に単語を読み飛ばしていることがありますが、間違いなく書き写したり、音読したりするためには、すべての単語を見なければならなくなるからです。文章が頭に入ってこないと感じるときには、それを試してみるのも有効かも知れません。

ちなみに、私は発話する能力を維持するためには一日何語しゃべっていることが必要か研究したことがありますが、少なすぎると考えられる境界線は約一〇〇〇語でした。新聞のコラムを音読すると、この半分くらいを発話したことになります。

なぜ報告書を書かせるのか

私の外来で行っているトレーニングの説明が長くなりましたが、人が脳に入力したい情報は、見ただけの情報、聞いただけの情報とは限りません。実際には、視覚や聴覚だけでなく、触覚や味覚や嗅覚も使って捉えた情報を総合したもの、つまり、体験の中で、五感をフル活用して捉えた立体的な情報である場合が多いと思います。

それを使える記憶にするためにも、まず出力を意識して情報を取ることが大切です。たとえば、よく報告書を書かせる上司がいますが、これは、部下の行動を管理するためだけでなく、本人の脳に、その日見聞きしたこと、体験したことを刻み込ませる手段としても非常に有効だと考えられます。

また、会議が終わった後には、内容を自分なりにまとめ、メモ程度にでも書いておくといいでしょう。使える記憶になりやすくなります。それを上司に報告したり、同僚と確認し合ったりする機会を持つともっといいです。レジュメなどを見れば概要は書いてあると言っても、それはあくまで他人の脳の中にある言葉です。他人の知識を自分のものにするには、書いたり話したりして、自分で出力する機会をつくる必要があります。

効率化ばかりを考えていると、そんなものを書いたり書かせたりするより、たくさん仕事をさせた方がいいという発想になりがちですが、そういう生活を続けていると、日々接している情報が流れていくだけになってしまい、物忘れをしやすくなります。

メモを取りながらテレビ番組を見る

仕事に限らず、私生活の中でも、話のネタになることはないかと考えて常にレーダーを働かせていると、使える記憶が増え、また情報を意識的に取る力が高まります。

たとえば、テレビの健康情報番組を見るのでも、ただぼんやり見るだけでは、その場で満足感を得ただけで終わってしまいますが、「この情報を後でお父さんに教えてあげよう」という出力を意識して、要点をメモにまとめながら見ていると、その知識は後で引き出しやすい記憶になります。

会社の帰りにも、ただぼんやり電車に乗っているのではなく、「何か家族に話すネタはないか」「仕事に役立つ情報はないか」と考えながら周囲を見るようにするといいでしょう。情報を意識的に脳に入力する機会が増え、レーダーとしての脳の強化にもつながります。

繰り返し強調しますが、使える記憶を増やすためにも、情報を意識的に脳に入力する力を高めるためにも、出力する機会を先につくっておくことが有効なのです。

ブログを工夫して書こう

その意味で、インターネットのブログを書くことも、脳にとって良い習慣だと思います。特に会話する機会の少ない人にとっては、貴重な脳トレの機会になり得るでしょう。

人に読ませるからには、言葉の羅列ではなく、ある程度整理された文章になっていなければいけません。それを書くには、確実に脳の中の情報処理が必要です。「どうやったらこの話をより分かりやすく人に伝えられるか」「どう料理したらもっと面白く読ませられるか」ということを工夫すると、もっといいでしょう。何もしていなければ流れていってしまう体験の記憶が、整理され、より深く解釈され、脳に刻み込まれます。

私もときどきブログを読むことがありますが、専門家でない人が書いた文章でも、実例やたとえ話などを織り交ぜつつ器用にまとめられていて、「上手いなあ」と感心させられることがよくあります。これは次の習慣で解説する話に関わってくることですが、表現を豊かにするというのは、脳にとって一段高いレベルの活動だと考えられます。

要点を整理しておきましょう。

- **使える記憶を増やすには、出力することを意識して情報を取ることが大切**
- **その出力の機会を増やすために、報告書やブログを活用しよう**
- **会話する機会が少ない人には、書き写しや音読が有効なトレーニングになる**

報告書やブログでなくても、家族や友人との雑談でもかまいません。豊かな出力の機会を持つことを心がけて下さい。読み取り、聴き取りの力も高まっていくはずです。

習慣9

話す力を高める

メモや写真などを手がかりにして、長い話を組み立てよう

質問によって話を長くさせる

私は、家内が高校生の息子を相手に毎晩行っていることで、感心させられていることがあります。

どこのご家庭でもやっていることかも知れませんが、寝る前に子どもの話を聞いている。そのときにただ聞くだけでなく、「へぇ、面白いわね」と興味を示して見せたり、「その友達はどんな人なの？」「それからどうなったの？」と質問したりしている。そうすると子どもは、自分でも気づかないうちに、かなり長い話をしていることになります。

これはじつは、思考を組み立てる系列化の力を鍛える訓練になっています。子育ての一環として行っていることと、治療として行っていることを一緒くたにはできませんが、私も外来で、脳機能が衰えている患者さんに同様の訓練をする場合があります。

たとえば、まったく話ができないわけではなく、仕事の話であればスラスラと言葉が出てくるのに、それ以外の話をしようとすると、言葉が上手く出てこなくなっているケースが珍しくありません。仕事の話は、毎日しているパターン的な組み立てになっているので、テープレコーダーのボタンを押したように言葉が出てくるのですが、前頭葉を使って新しく組み立てる力が落ちているので、慣れない話になると、短いセンテンスばかりになってしまう。もしくは、組み立てた話を脳の中で保持しておく力が弱くなっているので、話している最中に、先の内容を忘れてしまうのです。

そういう患者さんには、次のように質問をしていきます。

「先週の日曜日は何をされていましたか？」

「えーと……渋谷にいました」

「何をしていたんですか？」

「……買い物です」

「お一人で？」

「いえ、あの……家内、付き添いです」

「仲が良さそうですね。買い物の後はまっすぐおうちに帰られたんですか？」

「いえ、あ、えーと……、食事をして帰りました」

「今おっしゃった内容を一つの文章にまとめて話すことはできますか？」

こういう風に誘導していくと、患者さんは「えーと」と考えながらですが、長い話を自分の力でまとめていかれます。この「えーと」と苦しんでいる時間が大事です。それを乗り越えようとする努力が、系列化する力を鍛える訓練になります。そういう努力をせず、パターン化された組み立てや「おい、あれ」だけでも通用するような親しい相手とばかり話していると、人は意外なほど簡単に話す能力を失うものなのです。

前述のレベルの話が組み立てられるようになったら、次はもう少し長いお話をしてもらいます。私がプライベートに踏み込みすぎるわけにはいかないので、聞けることは限られていますが、たとえば、映画を観に行ったというお話が出てきたら、

「その映画、舞台はどこですか？　どんなお話でした？」

「スカラ座って○○駅からどう行くんでしたっけ？」

ということを大まかに質問していく。

こういう経験に基づく話は、しようと思えば誰でもできるものの、話し慣れてはいないはずなので、言葉や記憶を組み立てていく訓練として最適なのです。

話し上手な人の周りには相づちの上手い人がいる

このとき私は、メモを取りながらお話を聞きます。また、ときどき頷いたり、表情を

変えたり、「今のお話、とっても面白いと思うんですけど」と言って先を促したりします。これはじつは、「あなたの話を興味を持って聞いていますよ」というサインです。

脳の性質を分かりやすくするために言えば、何か新しいことをしようとしているとき、脳の中では、神経細胞がニューロンと呼ばれる手を延ばして、他の神経細胞とネットワークを構築しようとしています。この新しい連絡をつくるというのは、脳にとってなかなか大変なことですが、その活動が自分にとって良い結果をもたらした、またはもたらしそうだということが分かると、ネットワークが構築されやすくなります。

その良い結果というのは、仕事で成功したり、お金が儲かったりということでももちろんいいですが、誰かが自分の話に興味を持ってくれている、喜んでくれていると感じられるだけでも十分です。タイミングの良い相づちや頷きは、相手の脳の中で起こっている神経細胞のネットワーク化を促進させることだと覚えておいて下さい。

こういう訓練は、私がするよりも、身近な人が日常的にしてくれる方がずっといいことで、話し上手な人の周りには、たいてい話を促すのが上手い人がいるものです。

患者さんの付き添いで来られた方にいつも申し上げていることですが、部下や家族が長い話をするのが苦手になっていると気づいたら、上手く質問をしてあげて下さい。また、話が苦手になっている本人は、単語だけでも通じるような相手でも、きちんとした組み立てで話すことを心がけて下さい。前頭葉の系列化する力が鍛えられます。

結婚式のスピーチは脳トレになる

しかし、身近な人に恵まれている環境ばかりではないでしょう。そういう環境にいる人におすすめしたいのは、先にメモを用意しておいて話す習慣を持つことです。

結婚式のスピーチをするときのことを思い出してみて下さい。ほとんどの人はメモをポケットにしのばせておくと思います。そのとき、話す内容を全部書く人は少ないでしょう。キーワードだけをメモするか、「ご家族ご親戚の皆様……」「○○同好会で△△君は……」という風に、話の冒頭だけを書いておくのが普通だと思います。本番でよほど緊張していない限り、そのメモを見ながらであれば、普段しない五分間のスピーチでも何とかできる。これは自分で話すためのナビゲーションを自分でつくっているということです。

じつは、こういうスピーチほど、慣れない話を長くできるようにする良い訓練はありません。それを毎日行っていたらどうなるか、想像してみて下さい。メモがないときでも、キーワードを頭の中に浮かべながら、長い話ができるようになると思います。

これは何も、本当に結婚式のような席でスピーチをして下さいということではありません。日常会話の中でも、一日に一回はこういう話し方をする機会を持つのが有効ということです。

たとえば、昼間のテレビ番組で見た情報をメモしておいて、夜、ご主人が帰ってきたときに話すとか、人から聞いて勉強になった話の要点をまとめて、手帳などにメモしておき、同僚との会食のときにそれを見ながら話すとか、そういうことでもかまいません。一か月も続ければ、長い話がスムーズに組み立てられるようになるでしょう。

風景を思い浮かべながら話す能力

質問に答える形で話したり、メモを見ながら話を組み立てるというのは、言葉を手がかりとして記憶を引き出そうとする系列化ですが、長い話をするとき、手がかりにしているのは言葉だけではありません。視覚的なイメージである場合もあります。

小説家や俳優などでも、こちらが見たこともない土地の風景などを魅力的に語ってくれる人がいますが、そういう人が長けているのは、一つにはこの能力です。脳の中に風景を連続的に思い浮かべながら、話を膨らませていく。たとえば、川端康成の小説『雪国』の冒頭なども、そういう能力を駆使して書かれているのだと思います。

国境の長いトンネルを抜けると雪国であった。夜の底が白くなった。信号所に汽車が止まった。

向側の座席から娘が立って来て、島村の前のガラス窓を落とした。雪の冷気が流れ込んだ。娘は窓いっぱいに乗り出して、遠くへ叫ぶように、

「駅長さあん、駅長さあん」

明かりをさげてゆっくり雪を踏んで来た男は襟巻で鼻の上まで包み、耳に帽子の毛皮を垂れていた。

もうそんな寒さかと島村は外を眺めると、鉄道の官舎らしいバラックが山裾に寒々と散らばっているだけで、雪の色はそこまで行かぬうちに闇に呑まれていた。

（川端康成『雪国』より抜粋）

表現力の差はあっても、イメージを連続的に思い浮かべながら話したり書いたりすることは誰でもできると思われるかも知れませんが、そうとも限りません。実際、私の外来を訪れる患者さんの中にも、その点に問題があると思われるケースがかなりあります。できなくなっている人もいますが、多くの場合は、しないことが習慣化されているのです。

そういう人は、人の話を聞くときにも「こういうイメージだな」という想像をせず、生真面目に言葉一つ一つを頭に入れようとしてしまい、かえって内容を覚えられなくなっている場合がよくあります。

たとえば、先ほどの小説の冒頭でも、トンネルの暗闇を抜けて、視界が開けたとき、窓の外に雪明かりの世界が広がっていた……というイメージを思い浮かべながら読むのと、無機質的に言葉面だけ追って読むのとでは、後で思い出せる単語の数が違ってくるはずです。イメージを再現しながら思い出していけば、内容をある程度表現力豊かに再現しながら話すことができるでしょう。一方、イメージを思い浮かべない人は、三つか四つの単語を思い出すだけで精一杯ということになってしまいます。

写真を利用して話術を鍛える

イメージを連続的に思い浮かべながら話をすることが苦手になっている、あるいはしないことが習慣化されてしまっている人におすすめしたいのは、自分で写真を撮ってきて、それを示しながら話すという訓練です。たとえば私の外来では、

「病院に来るまでの道順を人に説明するとき、分かりやすいように写真を撮ってきて下さい」

という宿題を出すことがあります。そうすると、イメージを思い浮かべながら話す習慣が抜け落ちている人は、いきなり「北品川」と書かれた駅の案内板や「第三北品川病院」と書かれた看板だけを撮ってくる。文字だけが情報であるかのように考えているのです。その二枚の写真があるだけでは、分かりやすく人に道順を伝えることはできないでしょう。

そうではなく、駅の改札口を出たときに、目の前にどんな風景が広がっているのか、何を目印に曲がればいいのか、歩道橋の上から病院はどう見えるかということを伝える写真を撮ってきていただきたいわけです。人から言われなくても、そういう写真を撮ろ

うとし、それを元に人に話すということができるようになれば、イメージを思い浮かべながら話すということも、だんだん当たり前にできるようになっていきます。

もちろん、この訓練をするのに道順ばかり説明しようとする必要はありません。自分の住んでいる街を説明するために、要所となる風景の写真を撮るとか、旅先で見た美しい風景を人に説明するために写真を撮るとか、そういう訓練も楽しいと思います。

昨今は、撮った写真をその場で見られるデジタルカメラが比較的安く手に入りますし、携帯電話にもカメラがついていますから、それを使うのもいいでしょう。

本章では、長い話ができなくなったとき、その能力を回復させるにはどうすればいいかということについて具体的に解説しました。その方法は、次の三つです。

- 人の質問に答える形で話を長くしていく（周りの人の協力が大切）
- メモを用意し、そのキーワードを辿りながら慣れない話を長くする
- 写真を撮ってきて、それを示しながら表現を膨らませていく

こういう道具立てがなくても、同じことができるようになるのが理想です。次の章は、それが自分にできるかどうか確認しながら読んでみて下さい。

習慣10

「たとえ話」を混ぜながら、相手の身になって話そう

表現を豊かにする

話を膨らませることができるか

表現力豊かに話そうとすることは、脳機能を高める上で非常に有効です。どんな事物でも、いろいろな側面から見て説明ができるものだと思います。それを意識して、質問を想定したり、頭の中にキーワードを並べたり、視覚的イメージを思い浮かべたりしながら、表現を豊かにしていく。そのとき、自分なりのナビゲーションをつくってもかまいませんが、とにかく自分で思考を組み立てて、話を膨らませることが大事です。

たとえば、次のテーマで長い話をすることを考えてみて下さい。

A　地元の名産品。もしくは好きな郷土料理

B　この一〇年で私はこう変わった

C　学生時代の通学経路

ABCはいずれも、しようと思えば誰でもできるはずの話です。しかし、話し慣れている人は少ないでしょう。いざ、こういう話を長くして下さいと言われると、自分が慣

れない話を組み立てるのが苦手になっていることに気づく人も多いと思います。

実際に話を組み立ててみよう

Aの話であれば、質問を想定してみるのが有効かも知れません。その名産品、郷土料理をまったく知らない人は、どんなことを知りたがるでしょうか？

「どんな味がするんですか？」

「見た目はどうですか？」

「いくらくらいで売っているんですか？」

「なぜその土地ではそれが名産なんですか？」

など、ありそうな質問を自分で考えてみる。その質問を実際にされたら、どんな答えを返すでしょうか。その答えを組み立てていくわけです。人から質問をされていないときでも、それを頭の中に思い浮かべ、表現を豊かにしていけるといいと思います。


Bの話をするときに有効なのは、メモを用意することでしょう。この一〇年の間にどんなことがあったか、それぞれの出来事が自分にどんな変化をもたらしたか、先に列挙してみるといいかも知れません。

たとえば、就職や進学、結婚や出産、怪我や病気などによる入院、また、社会的なことで言えば、パソコンや携帯電話の普及、日本経済の変化……。それらの出来事は、自分にどんな成長やライフスタイルの変化をもたらしたでしょうか？　それを大ざっぱに書き出してみて、重要度の高い話をピックアップし、分かりやすい順番に並べ、メモにまとめてみる。そのメモを追いながらであれば、人に分かりやすい、筋道の通った話がしやすいと思います。メモがなくても同じことができるようになれば、もっといいでしょう。

Cの話をするときには、風景を次々に思い浮かべていくといいと思います。子どもの頃でも、上京して大学に通い始めてからでもかまいません。どんな町に住んでいて、朝、玄関を開けると、どんな風景が広がっていたでしょうか？　途中にはどんな建物があったでしょうか？　写真を並べながら説明するように、頭の中に次々と風景を思い浮かべながら話してみて下さい。自然と表現が豊かになっていくと思います。

「伝わらないのは相手が悪い」は禁句

表現力豊かに話すことに加えて、もう一つ心がけていただきたいのは、「相手の身になって話す」ということです。自分の話が本当に相手に理解されているかということを常に気にかける姿勢を持って下さい。「自分の話が通じないのは女房が悪い」「話が伝わらないのは上司が悪い」と考えてしまっていないでしょうか？　そういう悪い頑固さは、前頭葉の力が落ちて、変化に対応するのが辛くなっているからかも知れません。

相手のせいで伝わらないと考えるのではなく、自分の感覚で話すと理解してもらえない相手にどうやって理解してもらうか。伝わらないとしたら、なぜ伝わらないのか。それを考えながら話す、また、理解してもらえなかったら理解してもらえるように話し直すという習慣を持つことが大切です。自分の思考パターンを離れて、相手の身になって考えることは、脳にゆさぶりをかけ、前頭葉を鍛える有効な訓練になります。

相手の立場に立って考えてみる

話が伝わらないのは、一つには、お互いの立っている場所が違うからかも知れません。同じものを見るのでも、こちら側から見るのとあちら側から見るのとでは、見え方が当然違います。そのときに、両方とも自分の立っている場所だけから見て、相手の見ている景色を考えようとしなかったら、いつまでも話が嚙み合わないでしょう。それと同じように、同じ問題を話し合うのでも、お互いが自分の側からだけ見ていたら、理解し合えるわけがありません。

そういうときには、自分から相手の立っている側に行ってみることを心がけて下さい。そうすると、「なるほど、こういう角度から見ているから、ああいう考え方をしたんだな」ということが分かると思います。それが理解できたら、相手に、同じ立場で問題を考えてみたことを伝えてあげましょう。相手の姿勢が違ってくると思います。

次は、相手を自分の立っている側に連れてくる番です。自分がどういう角度から問題を見ているのかを具体的に説明し、「こっちから見るとこうでしょ?」ということを教えてあげる。それを説明していないために、話が前に進まない場合がよくあります。そこから議論を始めると、伝わらないのは相手が悪いとは考えなくなるはずです。

専門用語はなるべく使わない

また、相手とは持っている語彙や経験が違うために伝わらない場合もあるでしょう。

私が講演などで脳についてお話しさせていただくとき、心がけているのは、まず専門用語をできるだけ使わないということです。使う場合でも、一度嚙み砕いて説明するようにしています。

たとえば、「人間にはホメオスタシスが備わっているので、脳血圧も……」と言ってしまいたい場合にも、『いや、ちょっと待てよ、ホメオスタシスという言葉が、会場にいるおじいさんおばあさんたちにも分かるだろうか』と考えて、次のような説明に置き換えたりします。「人間の体温って、だいたい一定に保たれていますよね。こういう性質をホメオスタシスと言います。体の状態をできるだけ一定に保っておこうとする性質が人間には備わっていると考えて下さい。だから脳の血圧も、本来は……」。

もちろん、講演の相手が医学部の学生だったら、そんな回りくどい言い方をするより、ホメオスタシスと一言で言ってしまった方が伝わりやすいでしょう。常に平易な言葉にするのではなく、相手が持っている語彙を想定して、話し方を変えていく努力が必要なのです。

また、私が臨床経験から当たり前だと思っていることも、「こういうことがあるんですよ」と一から説明しないと理解していただけない場合があるかも知れません。そういう自覚を持って、相手の経験に合わせて話すのも大切なことだと思います。

たとえ話をよくする人はボケにくい

それをする上で、意識しておいていただくと有効な習慣は、たとえ話を混ぜようとすることです。何でもないことのように思われるかも知れませんが、たとえ話の中には、脳の高度な働きがすべて含まれていて、私の外来での診察経験から言っても、たとえ話をよくする人は、何歳でも聡明で、「この人はボケにくいだろうな」と感じます。

たとえ話をするには、まず、その情報を自分なりに解釈できていなければいけません。そのため、たとえ話をよくする人は、情報を脳に素通りさせているのではなく、意識して情報を取り、ちゃんと解釈している人だと考えられます。

また、相手の身になって話そうとしていなければ、適切なたとえ話はできないでしょう。この説明のままでは相手に伝わらないかも知れないと考えているから、たとえ話を混ぜようとするわけです。

さらに、実際にたとえ話をするときには、相手の語彙や経験を想定できていなければいけません。たとえば、本書で私が理屈だけで説明していることでも、ある人にとっては、「ほら、学校で勉強していても、こういうことがあるでしょ?」とか、「サッカーにたとえて言ったら、こういう場面だよ」というたとえ話を織り交ぜた方が伝わりやすいかも知れません。

それが日常的にできている人は、使える語彙や記憶が豊富な人であり、相手の身になって考える姿勢を持っている人であり、話を組み立てるのも上手い人であるはずです。また、たとえ話を織り交ぜながら表現力豊かに話そうと努力しているうちに、それらの力が鍛えられていくということも十分に考えられます。

要点を整理しておきましょう。

●表現を豊かにするには、いくつかのパターンを身につけ、訓練することが有効（質問を想定する、話のナビゲーションを自分でつくる、風景を思い浮かべる）
●話が通じないのは相手のせいと考えてはいけない。相手の身になって考えよう
●たとえ話を織り交ぜながら話そうとしていると、脳が総合的に鍛えられる

習慣9・10で解説してきたことは、じつは社会性を高める努力に直結しています。

普段、親しい人にしか通じないような、「あれ」「それ」ばかりの話をしていないでしょうか？　正しいのは常に自分で、理解されないのは周りの人が悪いと考えてしまっていないでしょうか？　そういう人は、どうしても社会の中で孤立していきます。

まずは周りの人に「私の話は分かりやすいですか？」「今の話、分かりにくいところはありませんでしたか？」と聞いてみるといいかも知れません。分かりにくいと思っていても、相手からは言いにくい場合があるからです。実際に聞かないまでも、そういう姿勢を持っていることは、社会性を高めるためにとても大切だと思います。

習慣11

脳を健康に保つ食事

脳のためにも、適度な運動と「腹八分目」を心がけよう

生活習慣病と脳

本章で解説していることは、生活習慣病の予防や改善、つまり体の健康を維持するために必要であると一般的に言われていることと同じです。非常に大切なことで、私なりに要点が分かりやすいように書いていますが、当たり前すぎる話でもあるので、読み飛ばして下さってもかまいません。生活習慣病になると、脳にも問題が起こってくる。生活習慣病にならないためには太らないことが大切、ということだけ覚えておいて下さい。

腹八分目を心がけるというのは、必ずしもたくさん食べてはいけないということではありません。これからたくさん仕事をするときには、十分に食べた方がいいでしょう。栄養が不足し、低血糖の状態になると、脳も十分に働かせられなくなります。問題なのは、体を動かさないときに食べること、消費するエネルギー以上に食べすぎてしまうことです。

肥満になるというのは、それ自体が体の負担を増やすことですし、結果的に運動量も落ちてきますから、さらに代謝を不活発にします。また、消費されなかった糖や脂肪分などのエネルギー源が、体の中に残っていろいろな悪さをする。糖尿病や高脂血症など、生活習慣病になりやすくなるということです。その悪影響は、当然、脳にも及びます。

高血圧は脳の働きを低下させる

分かりやすいのは血圧の話です。たとえば、高脂血症になると、血管内に脂肪が蓄積してしまい、血液の流れにくいところができて、高血圧を引き起こします。脳は酸素とブドウ糖を唯一のエネルギー源としていますが、高血圧になると、それを血液から十分に取れなくなり、思考が長く続けられなくなったり、感情を抑制できなくなったりする。血圧が低いならともかく、高いなら、それだけ多くの栄養が取れるのではないかと思われるかも知れませんが、それは違います。その理由は次のように考えると分かりやすいでしょう。

流れの速すぎる川には、苔が生えません。これは、水がたくさん流れていても、そこから栄養が取れないからです。また、枝分かれした管に水を勢い良く流すと、細い管には水が流れにくくなります。高血圧になると、それと同じことが脳で起こってしまう。実際、私の外来でも、長年の高血圧を治したら、ボケ症状も改善されたというケースが珍しくありません。

また、糖尿病になると、糖代謝のコントロールに異常が生じます。ブドウ糖が血液の中にあっても、それを利用することが難しくなってしまう。それ自体が脳に悪影響を及ぼすのは言うまでもありませんが、もっと怖いのは、消費されない糖が血管を詰まらせることです。脳で末梢循環障害が起こると、その先に新しい血液が送られなくなるので、細胞の活動が停止し、最悪の場合には細胞死に向かっていきます。脳が器質的に壊れてしまうのです。太い血管もボロボロになり、脳梗塞などを起こしやすくなります。

まず体を動かすことが大切

高脂血症や高血圧、糖尿病がなぜ起こるのかという話になると、専門的な説明が必要になるので本書では割愛しますが、肥満になると、生活習慣病になる可能性が格段にアップしてしまうのは間違いありません。その入り口の段階で止めておくのがいちばん良いのです。

肥満にならないためには、血液の中に糖や脂肪分などを余らせておかない生活をしなければいけません。つまり、エネルギーの需要と供給のバランスを常に保っておかなければいけない。

供給を少なくしても、需要がもっと少なければ何にもならないので、まずは需要を発生させることが先だと考えて下さい。エネルギーの需要を発生させるというのは、要するに体を動かすことです。適度に運動をしていれば、体内の糖や脂肪分は燃焼されますし、特によく使われる部分で血管も発達します。血管が発達すると、エネルギーが供給されやすくなって、体を動かすのも楽になる。それだけ代謝も活発になるということです。

逆に、体を動かさない生活をしていると、血管が衰退してしまい、代謝が不活発になります。そうすると、ますます糖や脂肪分を溜め込みやすい体質になってしまう。

パソコンの普及により一日中デスクワークをしている人が増えたと思いますが、そういう人は、食事に気をつける前に、適度な運動を心がけて下さい。散歩でもジョギングでもいいですし、テキパキと家事をこなすことも、体を動かすことにつながります。

太らない食べ方のコツ

次に大事なのは供給側の問題、つまり食事の量をどうするかということです。

さまざまな活動の消費エネルギーと毎日の食事に含まれるカロリー数を大まかに把握しておいて、カロリーコントロールする習慣を持つのがベストですが、それが面倒くさいという人は、もっと食べたいと思ったときに「腹八分目が大切」と思い出して下さい。満腹感は少し遅れて発生するものなので、もっと食べたいと思ったときに食べてしまうと、多くの場合、食べすぎになります。特に壮年期から初老期にかけては、若い頃ほど動けなくなっているのに、食べる量だけは昔のままという状態になりがちなので注意しましょう。

食べる量だけでなく、食べる時間帯もある程度考慮しなければいけません。夜の暴飲暴食が当たり前になっている人はいないでしょうか？　あとは寝るだけという時間帯に摂取したエネルギー源は、ほとんど消費されませんから、肥満の直接的な原因になってしまいます。もちろん、たまには夜、仲間たちとたくさん食べたり飲んだりして、ストレスの発散をするのもいいですが、それが毎日の習慣になっている人は気をつけましょう。

原則的には、朝食をしっかりと食べ、午前中に動くためのエネルギー源を補給する。昼食の量は、午後の活動に合わせて調整する。夕食は栄養バランスを取ることを重視しながら、寝るまでの空腹を満たす程度に食べる。そういう食生活がベストです。

要点を整理しておきます。

●生活習慣病になると、脳にも悪影響が及ぶ。予防するには太らないことが第一
●エネルギーの需要と供給のバランスを考え、適度な運動と腹八分目を心がける

大切なのは、まず体を動かすこと。そのエネルギー源を体に入れるために食べるという意識を持って食事することです。食事には幸福感を味わうという要素も大事ですが、それを量に求めてはいけません。おいしいものを控えめに食べるようにしましょう。

習慣12

定期的に画像検査を受け、脳の状態をチェックしよう

脳の健康診断

ＭＲで脳の断面図を診る

本書は基本的に、器質的には異常が認められないのに、何らかの脳機能が低下していたり、脳の使い方に問題があるために仕事が上手くいかなくなったりしている状態に対して有効な習慣を提案している本ですが、当然、器質的な問題も重要です。私の外来では、必要に応じて、まず画像検査によりハードウェアとしての脳に異常がないことを慎重に確認した上で、ソフトウェアとしての脳の問題を診ていくようにしています。

患者さんにとっても、定期的に脳の画像検査を受けるのはとても良いことです。目で見るのは分かりやすいですし、生活改善の指針に役立てることもできます。その意義について、一般的で有効度が高いと思われるＭＲ検査を中心に解説しておきましょう。

ＭＲ（磁気共鳴撮影）というのは、患者さんに特殊な装置の中に入っていただき、体の断面図を撮影する検査です。磁気と電波を使って体の中の水素原子を捉えることにより、脳の形でも具体的・構造的に把握することができます。レントゲンの延長線上にあるＣＴ（コンピュータ断層撮影）でも脳の断面図を撮影することはできますが、ＭＲほど詳しくは分かりません。また、MRAと呼ばれる検査では、血管の状態も細かく診ることができます。

脳のMR検査を受けていただく本来の目的は、脳梗塞や動脈硬化などの病巣を早期発見することです。言葉に詰まったり、思考が長く続けられなくなったりしている原因が、本書でこれまで解説してきたような習慣の問題だけにあるとは限りません。痛みなどの自覚症状がなくても、脳の病気が進行している可能性もあります。それを深刻な状態になる前に発見していただきたいというのが、定期的に画像診断を受けることをすすめる第一の理由です。

脳の機能は形に表れる

第二の理由として、MR検査を受けていただくと、脳の形が分かります。脳も筋肉と同じように、よく使われている部分の組織は維持され、あまり使われていない部分の組織はやせるということが起こる。つまり、形を診ることで、その人が普段どういう脳機能を使っていないのかということについて、参考になる情報が得られるわけです。

たとえば、よく聞き間違いをするという患者さんがいらしたとき、画像診断を受けていただくと、側頭葉がはっきりと分かるくらいやせていることがある。側頭葉というのは、耳から入力した情報を前頭葉に送る機能を司っています。そこが貧しくなっているということは「この患者さんは普段、人と会話することが少ないんじゃないか」「人の話をよく聞かずに行動して失敗することが多いのではないか」と推測できるわけです。

あるいは、頭頂葉がやせている人に、「よく道に迷うことがありませんか?」「部屋が散らかってないですか?」などと質問してみると、その通りであることがよくあります。というのも、頭頂葉は空間認識と感覚情報のコントロールを司っている脳です。空間情報をしっかり捉えていない、手足からの情報を十分に取っていないということは、道に迷ったり、何をどこに仕舞ったのか分からなくなってしまったりする。そういう場面が多いのではないかと考えられるわけです。

そこを一つの手がかりとして、ヒヤリングや脳機能検査を進め、この患者さんにはどういうトレーニングが必要かを判断していきます。

ただし、誤解しないでいただきたいのは、脳のある部分がやせている＝機能が衰えているとは断定できないということです。脳の個体差と見なすべき場合もありますし、やせている部分が司っている脳機能を実際に上手く使えていないとしても、それ自体がその人の個性であると考えることもできます。なので、このあたりの判断はそれほどシンプルではないのですが、患者さんが同じ失敗を繰り返して困っているときなど、その原因がどこにあるのかを調べる一つの手段として有効であると考えて下さい。

脳内の血管に問題がないか

また、脳の形からは分からなくても、MRAで血管の状態を診ることで、衰えさせている脳機能、普段あまり使っていないと思われる部分を推定することもできます。

よく使われている部分には、十分な酸素とブドウ糖が供給されているはずであり、そのためには血管も発達していなければなりません。逆に、よく使われていない部分は、酸素とブドウ糖を多く供給する必要も生じないので、血管も衰退しているはずです。それを確認することによって、その患者さんが苦手なこと、普段していないことを確かめられます。

ただし、この問題も、ある脳機能を使っていなかったから、その部分の血管が衰退したと直接的には考えられません。何らかの原因があって、血管が先に衰退し、その部分の脳機能が活動しにくい状態になってしまったことも考えられるからです。

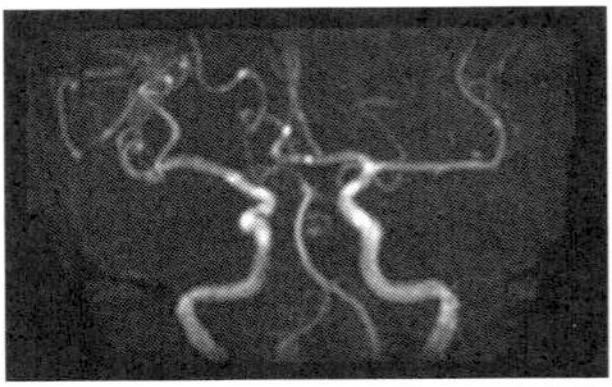

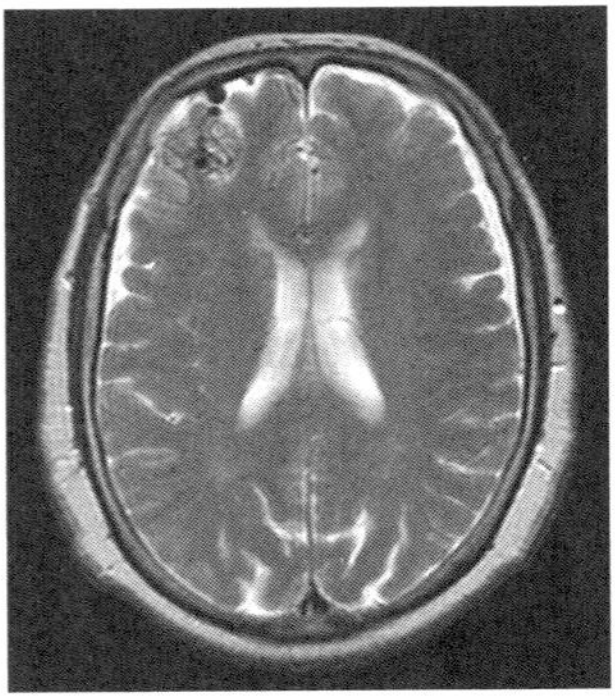

（右）ときどきめまいがする、言葉がスムーズに出てこないことがあるなどの症状がある女性の脳のMR写真。右前頭葉（向かって左側）に血管奇形が見られる。（上）血管奇形のある部位を撮影したMRA写真。

たとえば、血管奇形という問題が脳の重要な部分に発生していて、その周囲に血液が行きにくくなっている。そのために記憶力が悪かったり、言葉がスムーズに出てこなかったりしている例が、実際にときどきあります。そういう患者さんの場合、いくらその部分のトレーニングをしても、状態を改善させるのは容易ではありません。それよりも、そういう問題が自分の脳の中にあると知っていただいた上で、情報をできるだけメモに書き留めておくなど、働きにくい脳機能を補う習慣を身につけていただく方が有効だと思います。

また、血管狭窄などがある場合には、それを治すことと、上手く使えなくなっている脳機能を回復させるトレーニングをすることを同時に考えていかないと、問題の根本的な解決にはなりません。ＭＲＡ

で得た情報をそういう風に活かすこともあります。

PET検査との併用で精度が高まる

MRの他にPET（ポジトロン断層撮影）と呼ばれる検査でも、問題のある脳機能を具体的に特定することが可能です（PETは、脳血管障害やアルツハイマー型の認知症、てんかんの病巣などを発見するための方法として注目度が高まっている検査ですが、まだ一般的とは言えないかも知れません。私の外来でも今のところ導入していません）。

脳のPET検査では、特殊なカメラと薬を使って脳内の代謝を診ることにより、血流に問題がある箇所や細胞の活動性が低い箇所が分かります。MR検査と合わせて受けていただくと、脳の状態をより的確に把握することが可能でしょう。

本章のポイントとしては、次の一点だけ覚えておいて下さい。

●画像検査により、脳の病気を発見できるだけでなく、問題のある機能も分かる

なお、ＭＲ検査で脳の形や血管の状態を診て、脳の使い方、鍛え方の参考にするという方法は、私が長年の研究により自信を持って行っていることですが、どこの病院でもやっているわけではありません。興味を持たれた方は、私の外来にいらして下さい。

もちろん、脳の病気を早期発見するためにも、定期的に画像診断を受けるのはとても良いことです。お近くの病院で受けられる場合には積極的に利用しましょう。

「失敗ノート」を書こう。自分の批判者を大切にしよう

習慣13

脳の自己管理

失敗は脳からの警告

脳の問題を自覚するもっとも良い方法は、自分がした失敗を分析することです。特に繰り返しする失敗には、脳の悪い使い方や機能の低下が分かりやすく表れています。それを分析し、改善の指針にするには、まず失敗を記録しなければいけません。失敗だけを記録するのは、なかなか心苦しいことですから、日記をつけるようにして、最後に「こういう失敗をした」ということも箇条書き程度に付け足すだけでもいいです。

記録しておかなかった失敗はどうしても忘れてしまいます。「そんなことはない。自分は失敗した経験こそよく覚えている」と思われる方もいるかも知れませんが、それは、その失敗によって大きな痛手を被り、何か意識的に努力しなければならなくなった場合だけではないでしょうか？　その他の小さな失敗は、ほとんど忘れているのが普通だと思います。

しかし、その小さな失敗の中にこそ、大きな失敗を未然に防ぐ警告が含まれているのです。

たとえば、電車に傘を置き忘れるという失敗を繰り返す人がよくいます。そういう人は、次に置き忘れるとき、「前にも電車の中に傘を置き忘れたから、今度は注意しよう」と考えているでしょうか？　おそらく「あ、またやった」と気づくまで完全に忘れていると思います。その「あ、またやった」という感情の記憶も数日後には消えてしまい、また傘を忘れる。無意識的にやってしまった行動の結果なので、それをどこかで意識化しない限り、行動を改めるきっかけにはならないのです。それで何度も同じ失敗を繰り返す。

傘を置き忘れるという失敗の原因は、おそらく持って帰るときの不注意だけにあるのではありません。置くときに「傘を肘掛けに掛けておこう」と確認して置くのではなく、無意識的にそこらへんに置いてしまっている。だから持って帰るときにも、何かを置いたという記憶が残っていない。それで忘れるケースが多いと思います。

こういう失敗をする人は、日常生活の中で同じような失敗をよくしているものです。たとえば、資料を何となくそこらへんに置いてしまい、後でどこに仕舞ったか思い出せなくなったり、存在自体を忘れてしまったりする。あるいは、その日持っていく物を意識的に目立つところに置いておかないので、忘れ物をすることもよくある。

身の回りの物の整理が機能的にできていない人は、ベーシックな段階での思考の整理もできていない人である場合が多いので、大きな仕事を任されたときに混乱に陥ったり、時間が足りなくなったりするという失敗を繰り返しているかも知れません。

仕事が忙しくなると、身の回りの物の整理はますます怠るし、傘などは平気で置き忘れる……。

そういう失敗を、起こした時々に何となく考えているだけでは脈絡がないように思えますが、一度書いて並べてみると、そこに何らかの傾向が見えてくるはずです。

小さな失敗から分析していく

失敗を分析するとき、大きな失敗に注目しても、なかなか原因が見えてきません。大きな失敗の中にはいろいろな要素が含まれているので、かえって本質的でない（しかし、感情的に引っかかっている）要素に注目してしまいがちなものです。それよりも、日常的によくする小さな失敗から注目していく方が本質に近づきやすいでしょう。

たとえば、先ほどの例で言えば、「よく傘を置き忘れる」という失敗と、「よく資料が見つからなくなる」という失敗の間に共通する脳の問題はないかと考えてみる。そうすると、無意識的に物を置いてしまっているという悪習慣に気づくと思います。

無意識的に物を置いてしまう場面が多いということは、意識的に整理する習慣が欠けているということです。身の回りの物の整理には、思考の整理が端的に表れます。それが仕事で失敗する根本的な原因にもなっていないか……という風に分析していくわけです。

対策を考えるときにも、まずは小さな失敗をなくすことから考えましょう。傘を掛けたり、書類を置いたりするときに、意識的に「ここに置いた」と確認する習慣を身につけると、自然と思考を整理する習慣も身についていくものです。

そういう風に、自分がした失敗を並べていって、傾向を割り出し、より小さな失敗をなくすための習慣を身につけようとしていると、より大きな失敗も自然に解決できていくことがよくあります。

失敗は同じ時間帯にする

失敗を記録するとき、時間帯も書いておくともっと有効かも知れません。というのも、これは脳のバイオリズムに関係していることですが、失敗は同じ時間帯にすることが多いからです。

たとえば、午後四時頃に不注意によるミスを連発するとか、夜一〇時頃に感情的なメールを送ってしまって後悔することがよくあるとか、そういう傾向が割り出せてくると、大きな失敗をより防ぎやすくなります。その時間帯は、失敗するような活動を慎んで、休憩時間に充てたり、どうしてもその活動をしなければならないときにも、「この時間帯はいつもこういう失敗をする」と注意して取り組むようにすればいいわけです。

そういう傾向も、自覚したつもりになっているだけでは、本気で対策を考えるきっかけになりません。情報を客観的に見られる状態にしておくことが大切なのです。

人から受けた注意を書く

この「失敗ノートをつける」という習慣は、脳を自己管理する上で、非常に有効だと思いますが、続けるには意志の強さが必要ですから、実行できそうもないと感じる人も多いでしょう。そういう人は、人から指摘される自分の問題点をまとめておくだけでも違うと思います。

その人がよくする失敗や問題行動は、本人よりも周りの人の方がよく分かっている場合が多いものです。しかも、小さな失敗を一度か二度したからといって、問題だと指摘する人はいません。何度もするから周りの人が「おかしい」と思って指摘するわけです。面と向かって指摘を受けた直後は、どうしても感情が邪魔をするので、素直には耳を傾けにくいものですが、書き留めておいて、冷静なときに見返してみると、「確かにその通りだ」と納得させられることが多いと思います。それを治そうと努力してみて下さい。脳の使い方が改められ、大きな失敗を未然に防ぐことにもつながるはずです。

本章で解説したポイントを整理しておきましょう。

- 自分の失敗を記録し、傾向を割り出すことは、脳の自己管理にとても有効
- 失敗を分析するときには、小さな失敗から注目していくと分かりやすい
- その代わりの方法として、人から指摘される問題行動を分析するのもいい

最後に付け加えておくと、失敗ノートをつける以前の問題として、自分を批判したり、

問題点を指摘したりしてくれる人が周りにいるのは、とても大切なことです。日常的に「こういうところが少しおかしい」と指摘されていない人は、脳の使い方に問題があっても改められないまま、「すごくおかしい」人になっていってしまう場合があります。

職場や家庭に、自分の問題点を指摘してくれる人がいるでしょうか？　その人はよく何と言っているでしょうか？　この機会に確認してみるといいかも知れません。

ひらめきは「余計なこと」の中にある。活動をマルチにしよう

習慣14

創造力を高める

クリエイティブな才能は脳の総合力

昨今、ひらめきの重要性ということがよく言われています。パソコンやインターネットが普及したことで、人間の脳は覚える作業や雑用から解放された。これからはもっと創造的な仕事に脳の力を振り向けていくべきだという発想が根底にあるのでしょう。

これは大きな方向性として間違っていないと思います。しかし、一つ注意していただきたいのは、ひらめく力という特殊な能力が、それだけで脳の中にあるわけではないということです。

ひらめき、創造力、クリエイティブな才能などと呼ばれるものは、脳の総合力だと思います。意識的に情報を取る力、記憶を引き出す力、思考を整理する力、情報を組み立てる力、組み立てたものを分かりやすく人に伝える力。それらがすべて一定のレベル以上に鍛えられていて、初めてクリエイティブな人間になれるものではないでしょうか。

また、有効なアイデアを生み出し続けるには、知識や語彙を増やす努力もしていなければいけません。ただ何となく本を読んだり人の話を聞いたりするのではなく、「この情報を企画に役立てられないか」「この話を今度誰々さんにしてみよう」という風に、日頃からレーダーを働かせて情報を脳に入力し、出力する。そういう機会をたくさん持っている必要があります。インターネットで簡単に情報を調べられるようになったと言っても、それはあくまで他人の知識です。その知識を自分で使える記憶にするには、脳の中で保持し、解釈する。それを通して覚えるという作業がどうしても必要です。

最初から厳しいことを言うようですが、「これだけやれば簡単にひらめき人間になれる」などという方法があるとは考えない方がいいと思います。現代は、そういう近道を求めすぎる人が多い時代ですから、そんな道はないと知り、早くから地道な努力を続けることが、結果的に創造力を高める最善の方法になると言えるかも知れません。

そういうことが大前提としてあるとご理解いただいた上で、アイデアを生み出しやすくする方法を解説すると、ポイントは次の三点に集約できると思います。

- 「何の役に立つのか」より「誰の役に立つのか」を重視して考える
- アイデアは情報の組み合わせと考える（無から有は生み出せない）
- 書くことによって情報を脳に刻み込み、まとめをしながら考える

そのアイデアは誰のため？

一つ目のポイントは、独善的になるのを防ぐのと同時に、選択肢を限定させるためにも有効なことです。

脳は無限に選択肢がある中から、有効な選択・判断をすることはできません。最初にある程度、問題解決のゴールが絞り込まれ、選択肢が限定されている必要があります。「誰の役に立つのか」を重視するというのは、つまり、そのアイデアによって喜ばせられる対象をはっきりさせることです。習慣2の解説で、私が講演をするとき、制限時間に加えてお客さんの層が分かっていると、話の構成が考えやすくなると書きましたが、これは商品やサービスのアイデアを考えるときにも重要なことではないでしょうか。「何の役に立つのか」ということから考え始めると、選択肢が広がりすぎてしまい、取り留めがなくなってしまう。その結果、かえって教科書的な企画しか考えられなかったり、的外れな企画を考えてしまったりすることが多いのではないかと思います。

そういう悪い思考パターンに陥りがちな人は、「どんな人たちを喜ばせるためのアイデアなのか」ということを思い浮かべながら考える習慣を持ってみて下さい。

常にどこかにヒントを求める

二つ目の「アイデアは情報の組み合わせと考える」というポイントは、他人の知識やアイデアをパッチワークしましょうということではありません。脳にとって情報とは、言葉やデータで表されるものだけでなく、視覚、聴覚、嗅覚、味覚、触覚の五感を使って捉えられるあらゆる物事のことです。自然の中にあるものもすべて情報だし、伝統や雰囲気やシステムといった目には見えない情報もあります。

たとえば、「定食屋に一九七〇年代の雰囲気と学校給食的なサービスを組み合わせたらどうなるだろう」とか「医者の世界としては当たり前の判断原則をビジネスに応用させたらどうなるだろう」といった発想でアイデアを考える。もちろん、もっとシンプルに「この商品とこの商品の特徴を組み合わせたらどうなるだろう」と考えるのも一つの有効な方法だと思います。今では一般的になっている「携帯電話にカメラをつける」という発想も、最初に考えた人はそういうシンプルな発想を持っていたのでしょう。

大切なのは、まったくの無から有を生み出せるとは思わないこと、常にどこかにヒントを求め、情報の組み合わせとしてアイデアを考えようとすることです。クリエイティブな才能というのは、その組み合わせ方のセンスや、他の人が目を向けていない意外なところから情報を取ってくる力にかかっていると思います。みんながX軸とY軸で問題解決を考えようとしているとき、Z軸上にある情報も組み合わせ、有効な考えを生み出すことができれば、それは立派なアイデアとして認められるものではないでしょうか。

案ずるより書くが易し

三つ目のポイントは、習慣5で解説したことの延長線上にある話です。

脳が一度に系列化できる情報はごく限られています。その弱点を克服するには、情報を出力する、つまり書き出しておくことが重要です。書いてそれを見て、読んで耳からも情報を入れ直すことで、情報が二重三重に脳に刻み込まれますし、忘れてしまっても、出力された情報が目の前にあるわけですから、それを見て再び思い出すことができます。

情報を組み合わせるときにも、書きながら考えることが有効です。書いたり消したり、カードに書いて並べ替えたりという過程を通して、情報同士の関係性や重要度の違いが見えやすくなります。ある程度思考が整理されてくると、一つのまとまりを一つの情報として組み合わせを考えることも容易になる。そうすると、マジック7の限界を超えて、はるかに多くの要素を含む充実したアイデアを考えることができるようになります。

若い頃は誰でもそういう考え方をしていたはずですが、自分の才能に自信が持ててくると、こまめにメモを取ったり、書きながら考えたりする習慣をなくし、頭の中だけで考えようとする。それでアイデアが生み出せなくなっている場合があると思います。

交友範囲を広げる、活動を豊かにする

この三つのポイントをより強化するために有効な習慣を一つ挙げるとすれば、それは「活動をマルチにする」ということでしょう。

いろいろな場面で、いろいろな世代・職業の人たちと交流し、コミュニケーションの中で相手の身になって考える。そういう機会を日常的に持っていると、「この世代の人たちにこういうサービスを提供したら喜ばれるんじゃないか」「この業界にこういうシステムがあったら便利なんじゃないか」といったことが摑みやすくなると思います。

また、活動をマルチにしていると、同じ業界の中で一つの活動をしているだけではなかなか出会えない、意外性のある「Z軸にある情報」も自然に得やすくなるでしょう。

本業とは一見関係のない情報でも「これは使える」「そういうことがあるんだな」と直

感的に思ったものを拾っておいて、本業でアイデアを求められたときにパッと組み合わせてみせる。発想の豊かな人は、そういうセンスに長けているものだと思います（また、そういう人は、話を聞くときにも本を読むときにも、よくメモを取っているものでしょう）。

その才能は、仕事だけを一生懸命やっていても磨かれていかないものです。仕事熱心であるのは良いことですが、同時に、日頃から活動を多面的にしている必要もあります。

活動を多面的にすると言っても、無理に興味のないことまでする必要はありません。「仕事以外の時間も大事にした方がいい」という程度に考えて下さい。趣味を持っている人は、仕事が多少忙しくなってきても、何とか時間をやりくりして、できるだけその活動を続けましょう。時には家族や友達の趣味に付き合うのも楽しいものです。その中でできる人の輪を大切にして、交友範囲を広げていけるともっといいと思います。

クリエイティブな能力を高めるために大切なのは、「興味を持って何でもやってみること」「人生を積極的に楽しもうとすること」と言ってもいいかも知れません。何歳になっても創造的な活動を続けている人は、そういう生き方をしているものではないでしょうか？　無理のない範囲で、そこに近づいていけるとすばらしいと思います。

本章の要点としては、最初の三つに加え、次のことを覚えておいて下さい。

●創造力を高めるには、活動をマルチにし、人生を楽しもうとすることが大切

考えを練るには寝ることも大事

アイデアを生み出しやすくする方法として、裏技的なことを一つ書いておくと、それは習慣3で解説した「睡眠中の整理力を利用する」ということの応用です。

寝る前に情報を蓄え、アイデアを大ざっぱにでも考えておくと、寝ている間に思考が整理され、翌朝、アイデアがすっきりとまとまっていることがあります。それを書き留めておいて、日中は仕事をし、夜になったらまた情報を蓄え、大ざっぱに考えて寝る。そういう生活を続けていると、よく練られたアイデアを生み出しやすくなると思います。これは比較的即効性が高いと思われる方法ですので、ぜひ実行してみて下さい。

習慣15 意欲を高める

人を好意的に評価しよう。時にはダメな自分を見せよう

意欲はアクセルにもブレーキにもなる

本書では、ここまで主に、記憶力や集中力も含めた脳の問題解決能力（テクニック）と持続力（体力）に焦点を当て、それを向上させるための習慣を提案してきましたが、脳にはもう一つ大切な要素があります。それは意欲です。意欲は人間の活動のアクセルにもブレーキにもなります。意欲が高ければ、多少困難な問題でも乗り越えていける。逆に、意欲が低下していると、簡単な問題でも解決に向かっていけなくなります。

意欲を高めることとは、止まっていてはできません。自分の意志による行動と結果が必要です。

といっても、それは必ずしも社会的意義の大きなことである必要はありません。たとえば、部屋の片付けをしようと決めて、自分で立てた計画通りに実行できた。これは意欲を高めるために十分な行動と結果です。もっと極端なことを言えば、ちゃんとごはんを食べられたということでも、意欲の向上につながる場合があります。人間の脳の状態は一定ではなく、本当に意欲が低下しているときには、箸の上げ下ろしすら辛くなっている場合が珍しくありません。そういうときに、その辛さを乗り越えて椅子に座り、食事をすることができた。これは前頭葉の指令による意識的な行動であり、立派な結果です。そういうことを日々自覚できていくと、意欲は高めやすくなります。

ところが、人間は自分がそうやって日々小さな困難を乗り越えていることに、自分ではなかなか気づけないものです。そこで、周囲の人の評価が重要になってきます。どんな小さなことでも、それを誰かが評価してくれたら、その人は意欲を向上させられる。もちろん、誉められてばかりいてはダメで、時には失敗して叱られたり、「もっと頑張れ」と言われたりすることも必要ですが、それはかりの環境や叱られることすらない環境に置かれていると、脳は意欲を失って止まってしまいます。「失敗してお父さんには叱られたけど、お母さんは誉めてくれた」「クライアントには認められなかったけど、上司は評価してくれた」。そういう場面がどうしても要るのです。

小さな成長を認めて誉める

私の外来では、意欲に問題がある患者さんがいらしたとき、まずは宿題を出して、行動する場面をつくります。行動がなければ結果も生まれないからです。たとえば、「新聞のコラムを書き写して、次回受診されるときに提出して下さい」とお願いする。そうすると、そこに行動と結果が生まれます。次はそれを評価する番です。

「これが一週間前、こっちが今朝書いていただいた分。何か変化に気づかれますか？」

「変化ですか？　さあ……。何か違いがありますか？」

「まず、字の大きさが安定してきてますよね。以前は八〇〇字のコラムを書き写すのに何度も中断してたんじゃないですか？」

「そうですね。どうしても集中が途切れてしまっていたので……」

「それが今は一気に書き写せるようになってるでしょ。それだけ脳の持続力、体力が上がってきたということです。脳の入力→情報処理→出力という連絡もスムーズになってきてるはずですよ」

「少しは良くなってきたということですか？」

「少しどころか、だいぶ良くなってるんです。一か月前に初めていらしたときには、今みたいにスムーズにお話しすることもできなかったじゃないですか」

「そう言えば、話していて言葉が出てこなくなることは減ったかも知れません」

「そうやってみんな良くなっていくんです。これを見て下さい。一か月間でやっていただいた分の宿題がこんな量になってる。それだけの訓練をしてきたから治るんです」

人間は毎日意志的に行動する中で、何らかの訓練をし、脳機能を向上させているものです。私は脳の医者なので、まずはそれを評価する。このとき同時に、自分がどれだけ前に進んだかということを本人にも自覚してもらい、意欲の向上につなげています。

もし内容に進歩が見られない場合でも、それだけの生産的な活動をしたという量を評価します。実際、意欲を失ってほとんど何もできなくなっていた人が、それだけの行動をし、結果を出したというのはすごいことです。場合によっては、宿題をやってこなくても、病院までちゃんと来れたということを評価する場合もあります。

家族や部下の意欲を高めていますか？

こういうことは、本来、私がするよりも、ご家族や上司など、周りの人たちがやってくれるのがいちばん良いことです。たとえば、いつもと違う料理をつくったときに、誰かが「おいしいね」と言ってくれたら、それだけでも意欲は向上させられます。あるいは、部下が自発的に企画書を書いてきたときに、内容に多少問題があっても、その行動を上司が評価してくれたら、部下はもっとやる気になるでしょう。

ところが、周りの人が「そんなことはできて当たり前」という感覚になりすぎていると、せっかく意志的な行動をしても誰も評価してくれない。それでいて、失敗したときだけ文句を言われる。そういう環境にいると、その人は意欲を失っていきます。

社会性の乏しい人

その人が努力しても認められないのは、本人に原因がある場合もあります。

たとえば、少し前のことになりますが、私の外来に次のような患者さんがいらっしゃいました。三〇歳の女性の方です。一流大学の大学院を出て、有名企業に就職。英語が堪能で、おそらく会社でも、入社したときから一目置かれていたと思います。

しかし、私は彼女の話を聞いていて、問題があると感じました。

あまりにも完璧主義な上、愚痴が多いのです。

たとえば、仕事のことについて尋ねると、自分がいかに向上心を持って働き、同僚にはできない仕事をしてきたか、それなのに会社は分かってくれない、そもそも上司は英語が話せないから……という話が続きます。脳機能検査で、日本語で思考する能力にや

や問題があると感じたので、新聞のコラムの書き写しをお願いしたところ、

「そんなことをしても意味がありません。英語でやっていいですか?」

という答えが返ってきました。

こういう姿勢を「向上心が高くてすばらしい」と考えるのは無理があります。厳しい言い方をすれば、私が最初に感じたのは、「社会性の乏しい人」という印象でした。実際、こちらの質問をほとんど無視して、自分の言いたいことを語り始める場面も多かったのです。

こういうタイプの人は、周りから評価されにくいと思います。また、本人も普通のことはできて当たり前、自分は人並み以上のことができなければ成果とは認められないと考えているようでした。優秀な人が陥りやすい、脳にとって厳しい環境です。

それでも成功を収め続けているうちは評価がついてくるものですが、失敗をしない人間はいません。特に頑張りすぎている人は、いつの間にか何らかの脳機能を低下させていたり、脳の使い方がおかしくなっていたりして、大きなミスをすることがよくあります。

彼女が来院されたのも、仕事上のミスがきっかけでした。ある講演のセッティングを

任されたのですが、参加者に日時を間違えて伝えてしまったのです。そのことに直前まで気づかず、大問題になりました。こういう失敗をするときには、同じようなミスを連発するもので、その前後にも、大事な要件を人から指摘されるまで忘れていたり、持っていくべきものを忘れて家を出てしまったりということがたびたびあったそうです。

愚痴を言う人が陥りがちな悪循環

彼女の脳の問題は、一つには、行動する前に状況をよく確認していないことにあると思います。プロセスを組み立て、実行することばかりに注意を集中しすぎて、物事の前後や周囲の情報に注意が向かなくなっているのです。こういう人はよくいます。

しかし、それ自体が大きな問題だとは私は思いませんでした。脳機能が低下しているというより、脳の使い方に問題があるだけですから、情報を立ち止まって確認しながら物事を進める習慣を身につければ、同じような失敗はしなくなるでしょう。彼女の失敗によって、誰かが致命的な損害を被ったわけでもないはずです。

ところが、彼女はそのミスをきっかけに意欲をどんどん低下させてしまっていました。

よく愚痴を言う人というのは、自分が何か失敗をしたとき、その愚痴を自分に向けてしまいがちです。周りが「彼女でも失敗することがあるのね」というくらいにしか思っていないときでも、自分が非常に悪く言われていると思い込んでしまう。現実の相手を見るのではなく、自分だったらこう思うという基準で考えてしまいやすいのです。しかも、その基準が厳しいので余計に落ち込みやすい。そうすると、ますます周りが見えなくなって失敗する……。

そういうときでも、上手くできていることはたくさんあるはずですが、理想が高すぎるので、その小さな乗り越えに自分で気づけないし、周りも気づかせてくれない。どんどん意欲が低下していって、脳の活動が停滞する。彼女はそういう悪循環に陥っているようでした（極端にこういう考え方になっている患者さんの場合、実際には、精神科医や心理療法士などとの連携も視野に入れ、慎重に診察しています）。こちらの方が、彼女の一生に悪影響を及ぼしかねない、脳の使い方としてより大きな問題です。

誉め上手な人は観察力が高い

彼女がどうやって治っていったかを書く前に、本章で提案したい習慣を改めて書いておきましょう。

それは、人を好意的に評価する、また、時にはダメな自分を見せるということです。

好意的に評価するというのは、お世辞を言うことではありません。相手が何か行動したときに、その結果の良い面を認めてあげるということです。そうやって人を評価するには、まず人をよく見なければいけません。そのため、積極的に人を誉めようとしていると、周囲の状況をよく見るようになってきます。その意味で、この習慣は脳の使い方を改善させる直接的に有効な手段になりますが、じつは別の効果も期待しています。それは、人から評価されやすい人になるということです。

好意的な評価のキャッチボール

人に評価してもらうためには、それ以前に、自分が人を評価してあげていなければいけません。

「今日のプレゼンのときの説明、すごく分かりやすかったよ」

という評価を人にしてあげて初めて、

「ありがとう。あなたの企画書もよくまとまっていて、すごいと思った」

という評価が返ってくるのが良好な人間関係でしょう。自分から相手に評価というボールを投げてあげて、初めてキャッチボールが始まるのです。

ところが、人から評価されにくい人は、そのボールを自分から投げていなかったり、相手が投げてくれたのに、投げ返さなかったりしている場合が多いと思います。それで誰もボールを投げてくれなくなっている。人を好意的に評価する習慣を身につけるというのは、そのキャッチボールを自分から始める習慣を持つということです。

同時に、人を積極的に評価しようとしていると、理想と現実の間に「他の人はどうなのか」という観点が入ってくるので、自分でも自分を評価しやすくなります。そうすると、さらに意欲を高めやすくなる。そういう好循環が生まれてきます。

いちばんできない生徒になる

また、時にはダメな自分も見せるということが、意欲を高めるために有効です。「できない自分」を普段から人に見せていると、より小さな成果でも、それが努力の賜物であることが分かりやすいので、周りの人に「よく頑張ったね」と認められやすくなります。

逆に、いつも完璧な自分ばかり見せようとしていると、小さな成果では周りの人も評価しにくいし、自分でも認めにくい。それでいて失敗をしたときには目立ってしまう。

つまり、意欲を高めにくい環境を自分でつくってしまうことになります。かといって、それまで「できる自分」ばかり見せようとしてきた人が、急に「できない自分」をさらけ出して人に助言を求めたり、教えを請うたりするのは難しいでしょう。

そこで提案したいのは、自分がいちばんできない生徒になって当然の教室に参加することです。意欲を高めやすい環境を生活のどこかに持っていると、他の場面で受けたネガティブな刺激をそこで吸収できるようになり、好循環が生まれやすくなります。通う教室の内容は何でもかまいませんが、それを教わることで有意義な知識や技術が身につけられ、失敗しても実害は何もないというものを選ぶといいでしょう。

写真教室に通うことの効果

前述の患者さんに、私はフィルムメーカーが主催していた無料の写真教室に通うことを提案しました。写真教室がいいと判断したのは、彼女の仕事に役立つ可能性があるので説得しやすかったことに加え、次のような効果も期待できるからです。

・野外撮影会などに参加することで、体をよく動かすようになる

・目のフォーカス機能をよく使うようになる
・写真を元に慣れない話を長くするきっかけができる
・幅広い世代・職業の人が集まりやすい

そして何より大事なのは、写真教室では、一流大学を出ていようと、有名企業に勤めていようと、彼女はいちばんの初心者で、周りには先生や先輩ばかりがいるということです。こういう環境に身を置いていれば、できない自分を人に見せることになりますし、彼女の小さな成長を周りの人が積極的に評価しようとしてくれるでしょう。その中で良い人間関係の在り方を体得し、人を誉める機会も増えることを私は期待していました。

彼女の脳の問題は、意欲だけにあったわけではありません。そこで、通院も続けてもらい、その受診時に、撮った写真を見せて下さるようお願いしました。写真を見ることで、彼女の目の動きが分かりますし、話を長くしてもらう材料にもなるからです。

作品を何回か見せていただいているうちに、私が何より安心し、彼女の成長に気づいた変化は、人が写っているカットが増えていったことです。静物や風景の写真に混じって、写真教室の先生や、同じ教室の生徒である老夫婦の姿を写した写真などが見られるようになった。見ているだけで、楽しい雰囲気が伝わってくるような写真でした。
「いい写真ですね。教室ではたくさんの人とお話しできていますか?」
「はい、お陰様で。みんなで食事に行ったりもするんです」

それからの彼女の変化は、来院されるたびに見違えるようでした。お顔を拝見するだけでも、生き生きとしていて、意欲がどんどん高まっていることが分かったほどです。仕事の話を聞いていても、愚痴ではなく、人を誉めたり、人に感謝したりする言葉が目立ってきました。社会性が向上してきたことの表れと言っていいでしょう。

初めて来院されてから三か月ほどで、脳機能検査をしても、ほとんど問題がないと感じられるようになったので、外来を卒業していただきました。その間には、いろいろなトレーニングも行いましたが、写真教室の効果も大きかったと思います。

本章で解説した習慣のポイントを整理しておきましょう。

●意欲を高めるには、自分の行動と結果を誰かが評価してくれることが重要
●人を好意的に評価することは、自分が評価されやすい環境をつくることにつながる
●生活のどこかにダメな自分を見せる場面があると、意欲を高めやすくなる

出会いが脳を動かす

彼女の劇的な回復ぶりには、じつは私も想定していなかった理由がありました。

写真教室で知り合った男性と恋愛をしていたのです。外来を卒業されてから一年ほど経ったある日、彼女がふらりと訪ねてきて、結婚の報告をしてくれたことで、私はそれを知りました。

もちろん、私はそこまで見込んで写真教室に通うことをすすめたわけではありませんが、環境を変え、社会性を取り戻すような活動をしていると、そういうことも起こり得ます。人との出会いが、停滞していた脳をまた動かしてくれるのです。本章で提案した習慣は、そのきっかけをつくるのにも役立つと言えるかも知れません。

本書では、じつはそのことを繰り返し書いていたのですが、脳機能を維持・向上させることは、自分一人の力ではできません。自分を動かしてくれる人、気を遣わなければいけない相手、競い合うライバル、自分の問題点を指摘してくれる人、自分を評価してくれる人……。そういう人たちが周りにそろっていて初めて、脳のバランスの取れた成長が期待できます。

これは取りも直さず、人間には社会性が必要ということです。自分にとって前述のような相手が必要であると同時に、自分も誰かにとってそういう存在でなければいけません。いつも自分が主役、自分が先生という立場に居続けていると、脳に問題があっても気づけず、裸の王様になってしまいます。意欲を保ち続けることも難しいでしょう。時には脇役になったり、悪役になったり、生徒になったりすることがとても大切です。

そのために、まず、人との出会いを大切にして下さい。そして、一度つくった人間関係を簡単には壊さないようにして下さい。それをする努力の中で、脳は自然と鍛えられていきます。

いろいろな役者がそろった舞台の上で、自分もいろいろな役割を演じつつ活動をマルチにし、豊かな人生を送りましょう。それが脳にとっていちばん大切なことです。

最低限の脳機能を衰えさせていないか確認しよう

番外

高次脳機能ドックの検査

一見普通の人が高次脳機能障害である場合

本書でこれまでに解説してきた症状は、基本的に高次脳機能障害と呼ぶようなレベルの話ではありません。悪い生活習慣の積み重ねによって、いつの間にか脳機能に偏りが生じている、もしくは脳を上手く使えなくなっている。そのために、仕事で問題を起こしたり、社会生活に支障を来したりし始めている、初期的なレベルの話です。

初期的と言っても、患者さんは困っているわけですし、放っておけば、より深刻なボケ症状になっていくことも十分に考えられますから、軽く考えるわけにはいきませんが、かといって、即入院・通院をおすすめすることは、私の外来ではしません。

習慣11・12で解説したような、ハードの面での異常がないことを検査で確認し、いくつかの専門的な機能検査を行って、それでも問題がないことが確かめられたら、生活改善の指導をし、「治らないようでしたら、またいらして下さい」とお伝えするにとどめる例が大半です（ただし、比較的軽い症状でも、教育的な目的で入院していただくケースや、周囲の環境に恵まれていない方に通院していただくケースはあります）。

しかし一方で、一見何でもないような人が、じつは治療が必要なレベルの高次脳機能障害である例もあります。

それは何ができなくなっている場合なのかということをご理解いただくのが、本章の趣旨です。そのために、私の外来で行っている脳機能検査の一端をご紹介します。習慣とは言えないので番外としましたが、お読みいただければ、人間らしい高度な活動が、どういう能力を基盤としているのかご理解いただけるものと思います。

実際にやってみて下さい

最初の一項目は、「日本語で認識・記憶・思考するために必要な能力」です。具体的に問題を出します。私と診察室で向き合っているつもりで、パッと答えてみて下さい。

「次の二つの共通点は何ですか？」

1　リンゴとミカン

急にこういう問題を出されると、脳に何も問題がない人でも面食らうと思います。そのために即答できないのはかまいません。次々に問題を出していきます。

2　テーブルと椅子

この段階で、「ああ、こういうことを聞いているのだな」と理解して、「リンゴとミカンは果物、テーブルと椅子は家具です」と即答できる方は、とりあえず問題ありません。たとえば次に、

3　自動車と電車と飛行機

という問題を出されても、「乗り物、もしくは移動手段です」と即答できると思います。問題があるのは、こういう問題をいくつ出されても、何を尋ねられているのか分からない、もしくは共通概念がパッと出てこない人です。時間をかけても分からないというのは非常に重いレベルの症状ですが、時間がかかってしまう人も危ないと思います。

この検査で診ているのは、一言で言えば「概念化」の能力です。

人間には、あるものを見たときに、それを概念化して言語化する、また逆に、ある言葉を見たり聞いたりしたときに、それがどんな概念を表しているのかパッと理解し、実物を想像したり、示したりする能力が備わっています。その上で、日本語という言語体系の中で、「テーブルと椅子は違うものだけれど、家具という共通概念で括ることができる」ということまでスムーズに考えられるのが、正常な状態です。

この概念化の能力が完全に落ちてしまっている人は、たとえばネコを見ても、それを日本語のネコという言葉に結びつけられないので、

「…………」

そこに何かいる、可愛い、といったより原始的な判断しかできなくなってしまいます。あるいは、ネコという言葉を思い出そうとして、テーブルと言ってしまったり、自分が言い慣れているまったく関係ない言葉を出してしまったりする。日本語の言語体系の中で当たり前に認識・記憶・思考することができなくなっているのです。

ここまで深刻な状態に陥っている場合には検査をするまでもなく分かりますが、一見問題がないように見える場合があります。実際に多いのはこちらのケースです。

たとえば、長年自動車メーカーに勤めてきた人が、自動車や仕事に関することであれば、問題なく物事と言葉を概念によって結びつけることができるのに、それ以外の場面ではできなくなっているケースがあります。人と軽い雑談をしていても、相手が何を言っているのか理解できないので、呆然としてしまったり、自分の見ているもの、思い描いていることをすぐに概念化し、言語化して人に伝えられなくなったりしている。

会話がスムーズにできなくなっているときには、聴覚系の問題や話を組み立てる能力の問題を疑ってみる必要もありますが、それ以前に概念化の能力に問題があるとすると、より深刻です。専門的な治療・トレーニングを受けていただく必要があると思います。前述の検査は、そのレベルの問題かどうかを判断するときに有効です。

使える語彙がどれだけあるか

次の検査は、一言で言えば「語彙力」を診ています。

「『あ』で始まる単語をできるだけたくさん言って下さい」

制限時間は一分です。五秒経っても一つも出てこない場合には、私の方で、

「たとえば、赤」

というヒントを出します。しかし、「浅野さん」などの固有名詞や「赤とんぼ」などすでに出した単語に別の単語を組み合わせただけのものはダメです。それでも「朝顔」「愛嬌」「相づち」「秋」「油絵」「雨」「甘夏」など、「あ」から始まる単語は無数にあります。


さらに一〇秒待っても一つも出てこない場合には、

「『あ』で始まる単語なら何でもいいですよ」

という指示を出します。考えすぎて言葉が出なくなっている場合もあるからです。そうすると、脳機能に問題がない人は、多少重複したり、前述のような指示に反する単語を言ってしまったりしながらも、一分間単語を出し続けます。自分で「夏から連想できる言葉を考えよう」と選択肢を限定して、「アジサイ」「雨雲」「熱い」「アスファルト」「アイス」などと出してくる人も多いかも知れません。それで一分間で一〇個以上「あ」から始まる単語を出せる人は、使える言葉の範囲が広い、語彙力の高い人です。


逆に語彙力が低い人は、一分間「えーと……」と考え続けてしまったり、全部「赤」

から始まる単語を出して、ほとんど無効になってしまったりします。五個以下では、やや問題です。

この検査で単語がなかなか出てこない人は、聴き取れない単語も多いと思います。英語を勉強していたときのことを思い出すと分かりやすいと思いますが、自分がよく書いたり話したりする単語は、聴き取るのも楽だったはずです。これは脳の言語中枢の中で、聴く方と話す方がバラバラにあるわけではなく、解釈するという部分を挟んで一連の流れになっているからで、日本語でもスムーズに出てこない語彙は、聴き取ることも難しくなります。

つまり、会話が上手くできないという症状は、遡っていくと、先ほどの概念化の能力か語彙力の問題のどちらかに行き着くわけです。語彙力は、習慣8で紹介した新聞のコラムの書き写しなどを日常的に行うことで高められますが、著しく低下している場合には、高次脳機能外来で治療やトレーニングを受けていただいた方がいいと思います。

少しだけ関連する社会問題に触れておくと、昨今、小学校教育で、国語の時間を減らして英語の時間を増やすことの是非が議論されていますが、これが問題になるのは、特に幼少期の教育では、日本語で思考するための基礎力をしっかりと固めておくことが重要だと考えられるからです。私の外来でも、長期間海外で遊学していた人が、日本語の言語体系における概念化の能力や語彙力が下がってしまっているために、上手く認識・記憶・思考できなくなっているケースが何例かありますが、そういうことが起こる可能性がある。しかも、一度身につけたものであれば回復もさせやすいですが、幼少期に十分に身につけさせないというのは、問題としてより大きいと思います。

もちろん、子どもの頃から英語を勉強させること自体が問題だと主張しているわけではありません。私自身も「もっと若いうちにしっかりと英語の勉強をしておけばよかった」と思うことがたびたびあります。しかし、脳の性質から考えると、子どもの頃に日本語の言語体系をしっかり身につけさせておく、その中でパッと概念化する能力を鍛えておく、使える語彙を増やしておくということは、もっと重要なことです。その訓練の時間をどこまで減らしていいのか、十分に議論されるべきだと思います。

行動を抑制する力をチェックする

次の検査にいきましょう。以下の二つは、行動を抑制する能力に関する検査です。

一つ目は少し複雑になりますので、問題をよく読んで下さい。

「私が手を一回叩いたら、同じように手を一回叩いて下さい」

という指示を出して、実際にやってみてもらいます。私が〈パン〉と手を叩いたら、被験者も〈パン〉と叩く。私が〈パン〉、被験者が〈パン〉……これを繰り返すわけです。

それができることを確認したら、次のような指示を出します。

「私が二回手を叩いたときは、叩かないで下さい」

私が〈パンパン〉と叩いたときは、被験者は叩かなない。私が〈パンパン〉、被験者は叩かない……を繰り返してもらいます。

ここからが本番です。

「私は手を一回叩いたり二回叩いたりしますから、先ほどの指示に従って下さい」

そう言って私が手を叩く。私が〈パン〉〈パン〉〈パンパン〉〈パンパン〉〈パン〉〈パンパン〉と叩いたら、被験者は〈パン〉〈パン〉〈休み〉〈休み〉〈パン〉〈休み〉です。

それを長く続けても間違いなくできる人は問題ありません。ときどき釣られて叩いてしまう程度でも問題はないでしょう。しかし、叩いてはいけないときにどうしても叩いてしまう、あるいは一回のときにどうするのか、二回のときにどうするのか、途中で指示が分からなくなってしまう人は、高次脳機能に問題がある可能性があります。

脳の中には「GO／NO GO中枢」と呼ばれている部分があり、文字通り「行くべきか／行ってはいけないか」「するべきか／してはいけないか」を判断し、行動をコントロールする機能を司っています。この能力が著しく低下している人は、行動を抑制できなくなる。たとえば、「今は試験前です。両手は膝の上に乗せておいて下さい。鉛筆を持ったり、答案用紙を裏返したりしてはいけません」と言われても、どうしても動いてしまいます。

そこまで極端でなくても、いわゆる落ち着きのない人というのは、この能力が鍛えられていません。特に疲れていると、やってはいけないと言われていることをついやってしまい、仕事でもミスを連発するはずです。そういう人も、自分で治せるとは思わず、専門医による治療やトレーニングを受けていただいた方がいいかも知れません。

常識的にやってはいけないことをやらない力

次の検査では、行動を抑制する力と社会性を合わせて診ます。

たとえば、まず次のような指示を出します。


「両手を机の上に出して、掌を上に向けて下さい」


ここからは指示を出しません。

それで、出してもらっている掌の上に、私が少し空間を空けて、掌を重ねるようにします。私より若い看護師さんの方が、より分かりやすいのですが、問題のある人は、重ねられた手を思わず握ってしまいます。赤ちゃんと同じことをしてしまうわけです。

何も言われなくても「握るべきではないだろうな」と判断して、手を動かさずにいられる人は正常です。私や看護師さんの行動を不審に思って、「どうすればいいのですか?」と尋ねてくる人も、当たり前の抑制ができていると言えます。迷わず握ってしまう人や、一度握った後に「握らないで下さいね」と指示を出されても、また握ってしまう人は、社会性か行動を抑制する力に問題があると考えられます。

この、指示を出されなくても、自分で常識的な判断をして、行動を抑制するということは、誰でもできるようでいて、できなくなっている場合があります。たとえば、私の外来にいらした若い患者さんで、会社を退職して一年ほど社会と関わらずにいたある日、コンビニに陳列されていた商品を何気なく食べてしまった、という方がいました。社会性のない生活を送っていると、人は意外と簡単にボケてしまうものなのです。

そこまで極端ではないにしても、つい魔が差したように反社会的な行動をしてしまう人、静かにしているべき場所でもついしゃべってしまう人、やらない方がいいと分かっていることをついやってしまう人などは多いのではないでしょうか。そういう方々は、前述の能力を低下させていないか、確認してみる必要があると思います。

本章では、実際に高次脳機能外来で行っている検査の一部を紹介しながら、人間らしい高度な活動をするために、最低限保っておかなければいけない能力はどんなものか解説しました。お気づきになった方も多いと思いますが、こういった脳の基礎的な能力は、幼少期に、両親や学校が、遊びや躾や勉強を通して身につけさせてきたはずの能力です。

私たちは物心つく以前から、それらの能力を訓練されて、社会人になっていきます。ところが、成長してからも、社会性のない生活や問題のある生活を続けていると、いつの間にかその能力を落としていることがあるのです（あるいは習慣11・12で解説したような器質の面での問題があるのかも知れません）。それを確認するために、定期的に高次脳機能外来で検査を受けていただくのは良いことだと思います。

あとがきに代えて——立ち止まる脳、動き出す脳

人生は、追い風に恵まれている時期ばかりではありません。向かい風の時期や、大きな困難にぶつかって前に進めなくなる時期が誰にでもあるものです。また、定年退職やリストラなどによって、それまで走ってきたレールを失ったり、目標を失ったりして、自分をどの方向に進ませていけばいいのか分からなくなる時期もあるでしょう。

私はこれまでの著書で、脳をボケさせないためには、目標を持って生活し、その中で発生する問題を一つずつ自分の脳を使って解決することが大切と書いてきました。しかし、逃げるしかない場面も当然あると思います。他人から見たら何でもないことでも、本人にとっては非常に辛いことである場合もあるでしょう。そういう壁にぶつかったときには、一度立ち止まって逡巡《しゅんじゅん》したり、心の傷が癒されるのを待ったりすることも必要です。

前に進むだけでなく、逃げたり、立ち止まったり、また動き出したりしながら、どこ

かへ向かっていく。それが普通の人の当たり前の生き方だと思います。

しかし、立ち止まったときに、何もしない人になってはいけません。脳機能が低下し、また、意欲を高めるきっかけもなくなり、次に動き出すことが難しくなってしまいます。

そういうときのためにも大切なのが、脳にとって良い習慣を身につけておくことです。意欲が低下しているときでも、習慣として定着している行動であれば、無理なくできます。スポーツ選手が公式戦を離れていても、基礎トレーニングさえしていれば、また実戦の世界に復帰できるように、毎日の習慣によって脳機能がある程度維持されていれば、高度な活動をしていなくても、次の目標が見つかったとき、またスムーズに動き出すことができます。現代のような変化の激しい時代だからこそ、そういう脳の働きを安定させる生活の基礎を持っていることがより大切になっているのではないでしょうか。

今すでに立ち止まっている状態にある人は、目標を探すのと同時に、生活のリズムを崩さないように気をつけて下さい。朝一定の時間に起きて、脳のウォーミングアップをし、時間の制約がある生活をする。その上で、家事や雑用、小さな仕事でも積極的にこなし、前頭葉を鍛えていれば、問題になるほど脳機能が低下してしまうことは防げるはずです。

定年退職などで会社を離れた人は、言葉や社会性をなくさないように注意しましょう。それまで聡明だった人が、定年退職後にあっという間に言葉を失う例は珍しくありません。親しい相手にでも、きちんとした言葉の組み立てで話すことがまず大切です。その上でさらに、積極的に社会参加し、新しい人間関係も築いていけるともっと良いと思います。

まだ働き盛りの世代でありながら、仕事ができなくなった、クリエイティブな才能がなくなったと感じている人は、仕事ができていた以前と今とで、生活がどう変わったかを顧みることから始めて下さい。以前には当たり前にやっていた雑用をなくしてしまっていないでしょうか？　仕事に集中するあまり、生活があまりにもシンプルになってしまっていないでしょうか？　一度ゆっくり考えてみるといいかも知れません。

前著『フリーズする脳』では、便利な道具に満たされた効率化社会の中で、知らず識らずのうちに脳機能を衰えさせている、あるいは脳を上手く使えなくなっている人が、若い世代に増えているという問題を、原因の究明に焦点を当てて解説しました。それに対し、生活改善の指針について、より具体的に書いているのが本書です。両方お読みいただくと、自分の脳が今どういう問題に直面しているのか、どうすれば解決することができるのかということについて、さらに深くご理解いただけるものと思います。

最後になりましたが、本書を読んで下さった読者の皆様、どうもありがとうございました。本書が少しでも皆様のお役に立てば、これに優る喜びはありません。もし分かりにくいところがあれば、気軽に第三北品川病院の高次脳機能外来を訪ねてきて下さい。

皆様の脳がいつまでも健康であることを心よりお祈り申し上げております。

二〇〇六年一〇月

築山　節

企画・構成＝東京ライターズ・アクト
校正＝鶴田万里子
イラスト＝森田秀昭
DTP＝ydoffice+kai

築山 節
（つきやま・たかし）

財団法人河野臨床医学研究所理事長。1950年、愛知県生まれ。日本大学大学院医学研究科卒業。医学博士。埼玉県立小児医療センター脳神経外科医長、河野臨床医学研究所附属第三北品川病院長を経て現職。脳神経外科専門医として数多くの診断治療に携わる。92年、脳疾患後の脳機能回復を図る「高次脳機能外来」を設立。著書に『若年性健忘症を治す』（講談社）、『フリーズする脳』（NHK出版）ほか。

生活人新書 202

脳が冴える15の習慣 記憶・集中・思考力を高める

二〇〇六（平成十八）年十一月十日 第一刷発行
二〇〇七（平成十九）年十二月二十日 第十五刷発行

著者 築山 節

発行者 大橋晴夫
発行所 日本放送出版協会
〒一五〇―八〇八一 東京都渋谷区宇田川町四一―一
電話 （〇三）三七八〇―三三二八（編集）
（〇五七〇）〇〇〇―三二一（販売）
http://www.nhk-book.co.jp
振替 〇〇一一〇―一―四九七〇一

装幀 山崎信成
印刷 三秀舎・近代美術 製本 二葉製本

ISBN978-4-14-088202-3 C0247